O colecionador de saudades

ALLAN DIAS CASTRO

O colecionador de saudades

Histórias e poemas para celebrar o presente

SEXTANTE

Copyright © 2023 por Allan Dias Castro
Todos os direitos reservados. Nenhuma parte deste livro pode ser utilizada ou reproduzida sob quaisquer meios existentes sem autorização por escrito dos editores.

edição: Rafaella Lemos e Virginie Leite
revisão: Ana Grillo e Hermínia Totti
capa, projeto gráfico e diagramação: Natali Nabekura
imagens de capa: unorobus | iStock (estrela-do-mar); Lisima | Shutterstock (fundo)
impressão e acabamento: Pancrom Indústria Gráfica Ltda.

CIP-BRASIL. CATALOGAÇÃO NA PUBLICAÇÃO
SINDICATO NACIONAL DOS EDITORES DE LIVROS, RJ

C35c

Castro, Allan Dias
  O colecionador de saudades / Allan Dias Castro. - 1. ed. - Rio de Janeiro : Sextante, 2023.
  192 p. : il. ; 21 cm.

  ISBN 978-65-5564-695-5

  1. Poesia brasileira. 2. Prosa brasileira. I. Título.

23-84129   CDD: 869.1
                 CDU: 82-1(81)

Gabriela Faray Ferreira Lopes - Bibliotecária - CRB-7/6643

Todos os direitos reservados, no Brasil, por
GMT Editores Ltda.
Rua Voluntários da Pátria, 45 – Gr. 1.404 – Botafogo
22270-000 – Rio de Janeiro – RJ
Tel.: (21) 2538-4100 – Fax: (21) 2286-9244
E-mail: atendimento@sextante.com.br
www.sextante.com.br

Para os que vieram antes.
Para Serena.

Sumário

O outro lado da saudade
Ressignificá-la para atravessá-la — 11
   O colecionador de saudades — 14

Saudade das histórias que marcaram
A gente não perde quem vive na gente — 19
   Eu te amo em vida — 26
   Simplesmente — 28
   Ocasião perfeita — 30
   Eternos namorados — 32
   Pai presente — 34
   Cicatriz não é defeito — 36
   O nascimento da felicidade — 38

Saudade dos amigos de sempre que nunca mais vi
Amigos, viagens e Rolling Stones — 43
   Aos amigos — 52
   Sua história — 54
   Morada — 56
   Irmãos — 58
   Carta de amor — 60
   Sozinho bem acompanhado — 62

Saudade das pessoas que deixaram saudades

A guitarra do meu pai — 67
- Eu ainda tinha pai — 78
- Bobagens diárias — 80
- Vamos atravessar a saudade? — 82
- Um livro na mochila — 84
- Mães e filhos — 86
- Calendário atrasado — 88
- Por amor — 90

Saudade de tantos Natais

Casa da vó — 95
- Ancestrais — 100
- Semente — 102
- O que ninguém escuta — 104
- Todo padrão é uma prisão — 106
- Felicidade — 108
- Relógios de sol — 110
- Filhos — 112
- Rede de proteção — 114

Para não viver de passado

Noites de febre — 119
- A criança que eu fui um dia — 126
- O coração primeiro — 128
- Livre-se — 130
- Coragem — 132
- Sede em alto-mar — 134
- A batalha de cada um — 136
- Abrigo e cuidado — 138

O tempo que afasta é o mesmo que cura
Queda de braço — 143
- Labirinto — 146
- Os empregos que não consegui — 148
- Passo em falso — 150
- A ilha — 152
- Da dor ao renascimento — 154
- Passagem só de ida — 156
- A menina que colecionava conchas — 158
- Travessia — 160

Colecionando saudades até deixar
Carta para Serena (*Só leia quando eu já tiver deixado saudades*) — 165
- Como nascem as estrelas-do-mar — 168
- Eu levo um mar dentro de mim — 170
- Identidade — 174
- Personagem — 176
- A sorte como norte — 178
- Gentileza é eco — 180
- Paz — 182
- Ei, bailarina! Eu já disse que te amo hoje? — 184

Epílogo — 187
Notas — 191

O outro lado da saudade
Ressignificá-la para atravessá-la

Ser um pai presente sem ter a presença do meu. Esse foi o desafio que me trouxe uma nova forma de enxergar a sensação de falta: "Feliz de quem sente saudade." Sim, felicidade e saudade convivendo na mesma frase, no mesmo peito, na mesma vida.

Esse ponto de vista nasceu da sensação de alívio que tive ao revisitar histórias, amores e amizades e entender que, enquanto a falta vem de querer viver o que perdemos, a saudade vem de termos vivido.

É exatamente esse entendimento que dividirei nas páginas a seguir por meio de frases, textos e poemas que me fizeram atravessar o sentimento de perda e servirão de base para lembrar, todas as vezes que forem necessárias, que a vida não dura para sempre: é durante.

A saudade nasce enquanto vivemos o durante. Foi vivendo o durante que aprendi a dizer "eu te amo" em vida àqueles que me trazem a sensação de acolhimento por estar na segurança do meu cais. Foi vivendo o durante que mergulhei na dor da perda. Foi vivendo o durante que retomei meu leme e a atravessei. É vivendo o durante que consigo enxergar o horizonte e falar em continuidade. Assim, será colecionando "durantes" que seguirei até chegar a minha vez de deixar saudades.

No caminho que trilharemos, contarei como passei (e estou passando) por cada fase do meu processo de fortalecimento pessoal durante o luto, conduzido pela sinceridade de quem encontra na escrita a sua maneira de sobreviver à morte de pessoas queridas. "A dor da perda não perde a força, é a gente que se fortalece."

E hoje existe também o Allan pai – alguém extremamente grato pela vida. Um homem que nasceu junto com a escrita deste livro e que abre o peito como quem divide com seus leitores não só suas descobertas, mas também seu álbum de saudades pessoais. Sim, ainda estou me familiarizando com ele. Acho que não existe versão mais verdadeira de mim mesmo do que a que fui durante a fase de extremos que vivi: perder meu pai e, três meses depois, receber minha filha em meus braços. Essa verdade me revisita a cada capítulo. É uma experiência temporária mas transformadora. De repente, diante da grandeza de uma vida – seja se despedindo ou chegando –, um filtro tomou conta da minha antiga percepção, reformulando drasticamente o conceito de "relevante" nas escolhas que me tornaram quem eu sou e quem quero ser.

Hoje, com minha filha Serena no colo e cercado pelas pessoas que amo, eu retomo o fôlego, resgato um sorriso e nem penso em parar: por quem se foi, por mim mesmo, por quem ficar.

Desejo que *O colecionador de saudades* seja justamente um respiro aos que estão fazendo sua própria travessia, entendendo, a seu tempo, que superar uma perda não significa esquecer quem partiu e se permitindo, a cada poema, não desistir da felicidade.

Por oferecer o que também preciso, cada leitor que

aceitar essa imersão e chegar ao outro lado, seja de uma fase, uma dor ou um desafio, me levará junto, a cada leitura, até a outra margem de mim mesmo.

De peito e braços abertos, deixo aqui o meu convite: vamos atravessar a saudade juntos?

Para quem tem um coração
Repleto de boas lembranças,
Saudade não é falta:
É companhia.

Bem-vindos!

Eu com 7 anos em Camboriú, Santa Catarina.

O colecionador de saudades

Feliz de quem sente saudade,
Porque é sinal de que um dia
Dividiu a felicidade que sentiu.
Feliz também de quem deixa saudade,
Pois, se daqui não se leva nem a metade,
Só o que foi nosso de verdade
É o que ficou no outro quando a gente partiu.

Será que viver é colecionar saudades até deixar?

Às vezes me pego rindo sozinho,
Lembrando da família, dos primos
E de quanto nós já rimos.
De tantos natais, de outros carnavais...
E quando fecho os olhos para rever tudo
    que já senti,
Eu sinto saudade dos amigos de sempre,
Que nunca mais vi.

Será que viver é colecionar saudades
    até deixar?

Só sei que não deixo mais o momento passar.
Cada chance que tenho de lembrar,
    eu aproveito,
Porque ocultar o sentimento de vazio
É fazer a dor ecoar no peito.

O amor está presente nas histórias que marcaram.
Já reparou que só conhecemos algumas pessoas
Através da saudade que deixaram?
O tempo passou, elas ficaram.

Dias atrás senti falta da minha mãe,
    liguei pra ela,
Que disse sentir saudades do meu pai,
E eu sei que ele sentia falta da mãe dele,
Que só conheci através da saudade
    que ela deixou.
Minha vó estava presente nas histórias
    que ouvi desde criança.

Assim a vida perdura.
O tempo que afasta é o mesmo que cura.
Trouxe a partida, mas faz da espera esperança
Quando traz de volta um sorriso em forma
    de lembrança.

Por isso eu parei de brigar com a saudade.
Quando ela bate, não revido.
Eu a recebo com um abraço e me sinto abraçado
Por tanto sentimento recebido.
Para não viver de passado,
Eu vivo com quem está do lado
O que vou gostar de lembrar.

Assim eu sigo colecionando saudades
Até deixar.

Saudade das histórias que marcaram

O tempo leva o passado, mas não o que passamos.

@allandiascastro

A gente não perde quem vive na gente

Entre a morte e a vida. Se eu tivesse que resumir a fase inicial da minha quarentena, seria assim – entre a morte e a vida. Para explicar esse sentimento, preciso voltar um pouco no tempo, lá para 13 de outubro de 2019, quando eu e minha esposa Ana renascemos. Nesse dia, pela manhã, ela simplesmente desmaiou e bateu a cabeça no chão. Foi um estrondo e um susto grande.

Ainda que ela tenha parecido se recuperar rapidamente, resolvemos ir para o hospital, por precaução. Chegamos lá um pouco assustados. Saímos completamente felizes. Sim, felizes. Com os exames na mão, a médica anunciou o motivo do desmaio: "A Ana está grávida."

Saímos do hospital na maior alegria, coração explodindo, e eu nem pensei duas vezes: peguei o telefone e a primeira pessoa que soube da notícia foi meu pai. Fizemos uma ligação de vídeo, choramos juntos e ele falou que não estava surpreso, nem com a gravidez e muito menos com minha reação.

Sendo muito sincero, se eu tivesse recebido essa notícia uma semana antes, talvez não pudesse ligar chorando de felicidade. Provavelmente teria sido de pavor. Eu explico. Somente sete dias antes dessa ligação, eu e meu pai estávamos no meio de uma viagem de carro que fizemos de Porto Alegre até o Rio de Janeiro. Era algo que queríamos muito fazer e já vínhamos planejando há quase uma década. Por alguma razão mais forte que qualquer tradicional desculpa, finalmente aconteceu em 2019. O que eu ouvi do meu pai nessa viagem, sem a menor dúvida, fez com que algo morresse em mim. Provavelmente o medo.

O fato é que eu estava apavorado com a ideia de ser pai. E a verdade é que passei mais da metade do caminho falando que não me sentia pronto e que estava com uma dúvida imensa em relação à decisão que eu e Ana havíamos tomado de ter um filho. Meu argumento era que a minha vida profissional finalmente estava me trazendo as recompensas e o reconhecimento depois de muitos anos de caminhada. Eu sou poeta, escritor e compositor, e estava numa produção cada vez mais intensa. Tinha acabado de lançar o livro de poemas *Voz ao verbo*, que foi muito bem recebido, e, junto aos meus vídeos de poesia falada, estava fazendo meus textos chegarem a cada vez mais e mais pessoas. Meu pai sempre foi o maior apoiador dessa trajetória, por isso lhe perguntei: será que era a hora de interromper essa fase para ter um filho?

Foi nesse momento que meu pai me fez ver a vida de outra forma, finalmente tirando de cena aquele Allan cheio de dúvidas em relação a si próprio, que estava precisando de uma desculpa, ou um álibi, para continuar sendo o mesmo. Meu pai disse: "Quem falou em interromper? Muda completamente teu ponto de vista a respeito da chegada dessa criança, Allan. Ela vem pra coroar esse teu bom momento. Pode ter certeza que, com essa criança no colo, o sentimento vai ser de que nada mais te segura. Confia em mim, essa criança já está vindo. Deixa ela vir, meu filho. Se permita mudar de fase, deixa ela vir. E quando vier, quando não souber o que fazer, apenas esteja presente, porque a presença tem muita força."

Ali, ainda sem ter a menor ideia de que minha mulher já estava grávida, eu aceitei e me tornei pai antes mesmo de receber a notícia lá no dia 13 de outubro. Foi por essa mudança de percepção provocada pelo meu pai que ele foi o primeiro a saber da gravidez e do nome que eu e Ana escolhemos assim que soubemos que seria uma menina: Serena. Lembro de ele ter gostado muito porque sua busca pessoal sempre foi por serenidade.

A grande ironia disso tudo é que meu pai não chegou a conhecer a minha filha. O salto na história agora é de exatos seis meses após o dia em que liguei para avisá-lo que ele seria avô. No dia 13 de abril de 2020, meu pai faleceu. O cara que tinha me apoiado a vida inteira e que me fez aceitar a paternidade antes mesmo de a minha filha nascer não teve a chance de estar na presença da neta. E, por outro lado, o que me machuca muito é que a Serena também não teve a chance de ter o meu pai presente.

Foi tudo muito rápido. Ele ficou cerca de um mês hospitalizado, e aquelas notícias e imagens que eu recebia dele internado eram extremamente contrastantes com a cena da minha esposa, com uma barriga enorme, literalmente transbordando vitalidade.

Nesse limbo em que eu estava, entre a morte e a vida, eu não conseguia nem queria engolir os conselhos que ouvi, de que minha filha traria a alegria de volta, ocupando o vazio deixado pelo meu pai. Isso não tinha coerência para mim.

A verdade é que, nessa fase, eu estava tão confuso que até a escrita havia perdido a razão. Eu não conseguia botar nem uma linha no papel. Meu trabalho, que é também minha paixão pessoal, tinha perdido completamente o sentido com a partida do meu pai. Além disso, fiquei semanas tomado por um medo enorme de ser surpreendido pela morte novamente. Tudo me assustava: a saúde da minha mãe, das minhas irmãs, da minha filha sendo gestada e da Ana também, é claro, principalmente em relação ao parto. E o parto, meus amigos, se não tivesse sido filmado, nem eu acreditaria. Vou tentar resumi-lo em palavras para vocês.

Eu não queria mais correr o risco de perder ninguém, embora saiba que tentar controlar a morte é uma ilusão. Foi por tentar evitá-la ao máximo que eu e a Ana nos organizamos e deixamos tudo certo para uma doula e uma enfermeira nos acompanharem de casa até a maternidade, tudo perfeitamente esquematizado para que nossa filha chegasse na segurança dos nossos planos.

A previsão de nascimento da Serena era 23 de junho de 2020. No dia 14, lá pelas 10 da noite, a bolsa da Ana estourou e a madrugada foi intensa. As contrações foram se tornando cada vez mais e mais fortes. Ana ia da sala para o quarto, do quarto para o chuveiro, e ficava horas lá. Literalmente. As esparsas conversas davam lugar ao choro seguido por gritos guturais, que, nos dias seguintes, soubemos que haviam acordado a vizinhança inteira. Nós já não ouvíamos mais nada. A doula estava acompanhando a situação havia algum tempo, e, lá pelas 5 da manhã, a enfermeira chegou. Na minha cabeça, era só esperar a hora certa de irmos todos para o hospital e seguir nosso plano à risca. Mas, assim como a morte, a vida não segue roteiros.

Quando finalmente a enfermeira nos disse que havia chegado o momento de irmos para o hospital, eu peguei as malas – arrumadas há meses – e as levei para fora de casa. Enquanto isso, minha sogra, que estava presente e havia sido uma grande parceira o tempo todo, ajudava a Ana a se vestir. Ana, por sua vez, chegou até o meio da sala e decretou aos berros: "Vai nascer aqui mesmo!" A enfermeira ainda tentou insistir que conseguiríamos chegar ao hospital. Fomos até o corredor que levava à saída do apartamento, mas só deu tempo de abrir a porta e dispensar um ou dois vizinhos que apareceram para oferecer apoio. Quando virei para ajudar minha esposa a sair de casa, a cena que vi jamais vai sair da minha cabeça.

Sim, eu, que havia meses estava com medo de ser visitado novamente pela morte, dessa vez fui surpreendido pela vida. A Ana estava deitada no chão, amparada pela doula, e eu, perdido, andando de um lado pro outro, ainda mandei uma mensagem para a médica falando assim: "Doutora, a coisa está acontecendo aqui! Vai nascer." E a médica: "Calma, aqui onde??" E eu: "Em casa!"

A resposta dela, se fosse em uma outra situação, teria me feito rir. Quando eu disse "em casa", ela exclamou: "Jesus!" Aí eu pensei: *Ok, uma força divina é sempre bem-vinda.* Mas percebi que teria que abraçar o parto junto com elas. Foi nesse momento que minha sogra teve a sagacidade de começar a registrar tudo com o celular.

A enfermeira finalmente entendeu que a bebê nasceria ali mesmo e botou as luvas. Tirei uma força e uma coragem de algum lugar até então desconhecido, me ajoelhei, peguei a mão da Ana, que havia sido incrivelmente forte e corajosa em todo o processo, e, como quem escuta um recado certeiro, só consegui transmitir o que havia ouvido do meu pai meses antes: "Confia em mim, ela já está vindo." E repetia: "Força, meu amor! Deixa ela vir, deixa ela vir. Vem, minha filha! Isso, força, meu amor, falta pouco. Essa criança vai coroar nosso bom momento. Deixa ela vir!"

E ela veio! Só me lembro de, segundos antes, a enfermeira perguntar: "Vai receber?!" E eu: "Quê?!" Ela repetiu: "Vai receber?" E eu respondi: "Vou!" Assim que minha filha saiu, eu berrei "Nasceu!!" e a recebi em meus braços. Em seguida, entreguei a Serena para a Ana, que a agarrou como quem literalmente entende que tem uma existência inteira nas mãos. Esse foi o momento em que renascemos nessa vida que nasceu. Mas, sim. Em seguida, finalmente, fomos todos para o hospital. Serena foi de carro para a maternidade e, lá, tudo transcorreu bem.

Meu desafio a partir daí era outro: ser um pai presente sem ter a presença do meu.

Com isso na cabeça, lembro que um dia desses eu estava chorando de saudade do meu velho, sozinho na sala, e a Ana chegou com a Serena. Eu senti vergonha no começo, tentei esconder que estava triste (pensei: *Caso ela me veja chorando, que moral vou ter para fazê-la parar de chorar depois?*), mas a Ana falou: "Deixa a gente te fazer companhia." Eu entendi que a identificação da minha filha seria ainda maior futuramente se ela percebesse, desde cedo, que tem um ser humano ao seu lado. A presença delas me fez voltar a sorrir.

No outro dia era a Serena que estava chorando muito. Eu simplesmente cheguei e não falei "vai passar", nem perguntei "o que foi?". Eu só a peguei no colo e sussurrei: "O pai está aqui." Nem o passado do "o que foi?", nem o futuro do "vai passar". Eu estava presente. Eu senti o que meu pai tinha falado na viagem, e esse sentimento de presença não morre. Com minha filha no colo, tenho a mesma sensação de ouvir constantemente meu pai dizendo: "Quem falou em interromper?" Com a chegada da Serena, percebi que ela realmente nunca vai ocupar o vazio que meu pai deixou. Claro que não. Porque ter um filho não se trata de substituição, mas de continuidade. Hoje, eu me sinto mais inspirado do que nunca, e a motivação para escrever é tão grande que nem se quisesses parar eu conseguiria. O amor que eu sinto simplesmente transborda e vira texto. É só aceitar e deixar vir.

Essa história não poderia se encerrar com um ponto final. Eu sinto que, mesmo depois do fim, o meu pai é um avô presente. Por isso, trago um verso do poema "Eu te amo em vida", que estará completo na página a seguir, que diz assim:

Se você não deixar o sentimento para trás,
As pessoas que você ama jamais vão te deixar.
É um ciclo, siga em frente,
A gente não perde quem vive na gente.

Eu e minha filha Serena, 2021.

Eu e meu pai em 1999.

Eu te amo em vida

As pessoas que a gente ama jamais vão
    nos deixar,
Mesmo que já tenham partido.
É que o sentimento que a gente tem por
    alguém é nosso.
Ele fica guardado em quem não o deixou
    escondido.
Ter conseguido dizer o que eu sentia em vida
É o que fez a minha voltar a ter sentido.

Quando chega a saudade, uma pergunta
    me ocorre:
Para onde vão as estrelas quando morrem,
Se elas já estão no céu?
Aí eu lembro que elas continuam onde estão,
Só mudaram de papel.

É como as pessoas que a gente ama quando
    se vão:
Antes estavam presentes em nossa vida;
Agora, a vida delas está presente na nossa.
Repito, o sentimento que a gente tem por
    alguém é nosso.
Compartilhar esse amor torna entender
    a nossa dor
Um processo menos dolorido.

É isso que me faz lembrar
E agradecer cada momento vivido.
A pessoa que partiu já ter me ouvido dizer
   "eu te amo"
Traz a certeza de que o tempo leva o passado,
Mas não o que passamos.

Quando estiver triste, olhe para o céu
E lembre que tudo está onde sempre esteve:
   aí dentro,
Mesmo tendo mudado de lugar.
Então olhe para o lado e agradeça a quem
   ainda está.

Se você não deixar o sentimento para trás,
As pessoas que você ama jamais vão te deixar.
É um ciclo, siga em frente,
A gente não perde quem vive na gente.

Simplesmente

Quando a gente se acostuma a ficar em silêncio
Por achar que vai dizer o óbvio
Ou por medo de se repetir,
Pode perder a chance de falar ao outro
Exatamente o que ele precisava ouvir.

O mais simples, às vezes,
É o mais complicado de dividir,
Pois quando não é da boca pra fora
É mais do que falar, é sentir.
Só que guardar um sentimento bom
É sufocar um coração
Que já não cabe em si.

Ter coragem de se expressar
É como abrir a porta de um cofre
Que a gente leva aqui dentro
Com sei lá quantas chaves.

Uma é para pegar aquele impulso de dizer
Simplesmente "oi, eu senti tua falta"
    e deixar sufocado,
Outras duas para deixar trancados
O desejo de dizer "você faz a diferença
    na minha vida, obrigado"
E a clareza de um "me desculpa, estou errado"

Ou "eu só confio em mim hoje em dia
Pelo fato de um dia você ter confiado".

E sei lá quantas outras chaves são necessárias
Para manter o peito apertado de tanto
   "eu te amo" guardado
Em segredo. E repara de quem a gente
   tem medo:
Dos nossos melhores amigos, dos nossos pais,
Da pessoa que está do nosso lado.

É por isso que dizer o simples
É não deixar que a rotina nos engula
Ou que o óbvio nos intimide.
A gente aprendeu que ganha mais quem
   acumula,
Mas há coisas que só têm valor quando
   a gente divide.

Então, para que tudo de bom
Aí dentro desse cofre
Não vire arrependimento,
Saia da dúvida do silêncio
Para a clareza da simplicidade.

Troque o hábito de ficar na vontade
De expressar um sentimento
Por ficar à vontade em dizer o que sente.
Apenas fale. Simplesmente.

Ocasião perfeita

A gente faz tanta força para ser feliz
Que acaba esquecendo que a leveza
Também traz felicidade.
Assim, a busca por perfeição
Fica bem pequena
Diante da grandeza da simplicidade.

Calma, as ideias vão surgir, as soluções vão chegar,
As melhores notícias vão nos pegar de surpresa,
Mas hoje nós vamos sem rumo, sem garantia.
A única certeza que eu quero
É a sua companhia
E todo o bem que ela me faz.
Respira, os compromissos nunca vão acabar
Até que a gente se comprometa
Com nossa própria paz.

As melhores oportunidades
São como aquela roupa nova no armário
Guardada para uma grande ocasião.
Elas vão perdendo a cor
Cada vez que a vida te convida
E você responde "não".

Às vezes você tem que criar essa situação.
Se a falta de tempo é o grande dilema,
Vamos sem relógio, sem problemas.

É simples, não existe a hora, a pessoa
Nem a ocasião perfeita.
Quando a sua felicidade chamar,
Se aceita.

Eternos namorados

Quando um casal está escrevendo a própria história,
A realidade mostra que o "felizes para sempre"
Não acontece todo dia.
Mas tudo bem, felicidade é trajetória
E vida a dois é companhia.

Não há nada mais forte
Do que duas pessoas que se amam
Quando juntam as forças.
Par é parceria
É ter alguém que vibre, que torça,

Que divida a vida e as coisas simples:
A próxima grande viagem e uma ida à padaria,
As questões existenciais e a louça na pia.
É quem te acorda para viver o presente
Se você dormir na meditação,
E que sabe exatamente
Quem seu coração gostaria
Que vivesse eternamente.

É também quem abraça junto.
A dor da perda de alguém especial,
Que se vai, tão de repente,
É quem te lembra
Que o namoro não acaba depois de casados,
Porque o compromisso e a leveza
Andam lado a lado
E nos fazem eternos namorados.

Felizes sempre que possível,
Mas caminhando juntos,
Todo dia.
Felicidade é trajetória
E vida a dois é companhia.

Eu e Ana, um dia antes do nascimento da Serena.

Pai presente

Ser um pai presente
Sem ter a presença do meu
É o maior desafio hoje em dia.
E toda vez que não sei como agir,
Penso em como ele faria.

Lembro que sempre dizia:
"Não sabe? Diga a verdade.
A resposta certa é a sinceridade."
A presença da minha filha
Ameniza a falta do meu pai,
Mas não se trata de substituição:
É continuidade.

Hoje minha filha me leva em sua identidade.
E quanto em mim levo do meu pai
Neste pai que me tornei?
Quanta coisa eu aprendi
Ouvindo ele dizer "não sei"?

A falta dele ainda é tanta
Que nossa casa tem o seu lugar
Esperando quem não vem.
A saudade é a visita
De quem está presente
Na gente.

Assim, sua história segue em mim
Depois do fim.
Nasce um pai em cada filho que gerou o seu
E nós renascemos nessa vida que nasceu.

Hoje já consigo perceber
Que lembrar é agradecer o que vivi
E o desafio de sorrir
É confiar no que há de vir.

E virá, porque continuidade
É mais que recomeçar:
É não parar.
Por isso, perder o medo de seguir
É o que fará eternizar

Quanto em mim eu levo do meu pai
Neste pai que me tornei?
Quanta coisa eu posso ensinar
Ao repetir "não sei"?

"Não sei."

Cicatriz não é defeito

A dor que não contamos a ninguém
É a mesma que descontamos na vida.
Não se pode curar uma ferida
Fingindo que está tudo bem.

Quando o silêncio te faz de refém,
Sua verdade fica presa no peito.
Cicatrizes não são um defeito.
O alívio só poderá chegar
Quando você parar de negar a si mesmo,
Ao dizer: "Eu me aceito."

Com traumas, vergonhas, mentiras,
Sorrisos sem alma, os fantasmas da ira.
Deslizes, dilemas, feridas mantidas abertas
Pelas algemas da hipocrisia.

O passado que a gente adia nos visita todo dia.
O passado que a gente adia nos visita todo dia.
O passado que a gente adia, um dia chega.

Eu vi uma saída quando encarei a mim.
Eu não espero que o outro me entenda
Nem tenho esperança de que alguém se arrependa.
E, se arrependimento matasse, não seria o meu fim:
Ao contrário, eu nasci de novo ao me aceitar assim.
Quando parei de me manter em segredo
Abracei a coragem e o medo
E, mais do que poder contar minha dor,
Hoje eu conto comigo, enfim.

Sim, o passado que a gente abraça
Um dia passa.

Aquele que consegue dizer "eu me aceito"
Está abraçando a sua história.
Então, lembra que cicatriz não é defeito:
É trajetória.

Cicatriz não é defeito, é trajetória.

@allandiascastro

O nascimento da felicidade

Sabe quando o frio é tão intenso
Que até chega a queimar?
Depois de longos meses de inverno
Foi o oposto que aconteceu.

Um sorriso sol nasceu no mar
E subiu pela beira.
O coração aqueceu de tal maneira
Que a última camada de gelo derreteu.

De forma inédita sentiu-se amado
E, de olhos ainda cerrados, admitiu:
O brilho de quem ama
É mais forte do que supus.
Naquele segundo
O mundo lhe deu à luz,
Foi assim que ele a refletiu.

Quando olhou para o rosto daquela criança
Se reconheceu, mas não se viu.
Entendeu que dizer "eu te amo"
Fala mais de amor do que do "eu".
Dessa vez não foi o ego quem sorriu,
Foi a felicidade que nasceu.

Habitava agora um universo
Onde ventre de mãe é lar
E colo de pai é abrigo.
Quando cortou o cordão umbilical
Da filha recém-nascida,
Percebeu que existe vida
Além do próprio umbigo.

Eu e Serena recém-nascida.

Saudade dos amigos de sempre que nunca mais vi

Abraçar um amigo é chegar em casa.

@allandiascastro

Amigos, viagens e Rolling Stones

Amigos são coautores na história da nossa vida. As fases passam, eles nos acompanham de perto. Por isso, perder o contato com alguém que esteve presente por muitos anos é se afastar do melhor ângulo dos seus momentos cruciais: a visão de quem estava ao seu lado. Nossos amigos são testemunhas oculares do que ninguém mais viu. São cúmplices do que só nós podemos saber. São a companhia que afasta o vazio da solidão, mas que também nos lembra de que somos completos sozinhos. Afinal, eles também respeitam os dias em que preferimos curtir um tempo ao lado de outra grande amiga, a solitude. São eles que nos encorajam dizendo "voa!" e que também nos recepcionam calorosamente a cada retorno. Abraçar um amigo é chegar em casa.

Eu já ouvi falar que nos tempos difíceis a gente conhece quem realmente quer ajudar, quem se aproxima só para saber o que está acontecendo e quem se afasta ainda mais. Sim, alguns fatos inesperados vêm para distinguir os amigos íntimos das pessoas com as quais jamais teremos intimidade. As adversidades identificam os mais próximos, que se importam e sabem da nossa vida; os curiosos, que só querem saber; e os apenas conhecidos, que, na verdade, nunca quiseram nem saber.

Você já esteve em algum lugar onde não conhecia absolutamente ninguém, mas foi acolhido por um sorriso? Eu, já. Desde então, acredito em amizade à primeira vista. Sim, amigos e amores nascem com o tempo, mas não dependem dele para existir. Ambos podem gerar uma semente nos primeiros instantes de contato, assim como conseguem manter suas raízes vivas mesmo depois de anos de afastamento. Todo reencontro com um amigo questiona a linearidade dos calendários, afinal, a intimidade conquistada faz toda despedida – por mais que tenha sido anos antes – parecer que foi ontem.

Sabe aquelas bandas de rock que preservam a maior parte dos integrantes originais ao longo de muitas gerações? Para mim, as que conquistam essa proeza são as preferidas. Elas representam uma boa analogia com as longas amizades. Por vezes, desgastes ou circunstâncias inesperadas surgem e aqueles que pareciam inseparáveis se afastam e até passam períodos se dedicando a projetos individuais. Mas não tem jeito. Tem algo ali que é mais forte do que qualquer desentendimento e os faz voltar a dividir os palcos. Parece mágica, a cada retorno é como se nunca houvessem parado de tocar juntos. Ok, muitas vezes o motivo é dinheiro, mas nem sempre é só isso. Existe uma conexão inexplicável quando um grupo de pessoas se une, e ela gera algo maior do que a razão, os interesses ou até o ego de cada um. E essa afinidade atemporal entre amigos íntimos nos lembra que, por mais que tudo mude, o carinho continua o mesmo.

Ainda que já conhecesse meus amigos há muitos anos, pude me certificar da máxima que diz que você só vai saber quem uma pessoa é de verdade depois de viajar com ela. Eu tinha um sonho de ver uma das minhas bandas preferidas, The Rolling Stones, ao vivo. Ainda lembro perfeitamente do dia em que assisti a um DVD (sim, já faz um tempo) com trechos de shows deles. A televisão na casa dos meus pais era muito grande, daquelas que pareciam uma imensa caixa quadrada estacionada no canto da sala. Como eu estava sozinho, coloquei o volume no máximo. O vídeo já ia chegando ao fim quando, na hora do bis, uma explosão de som e luz anunciou o retorno alegórico de Keith Richards. Ele parecia sair de dentro de um meteoro, vestindo uma capa com estampa de onça e óculos escuros, tocando o solo clássico de "Satisfaction". Foi de arrepiar! Na hora eu desejei com toda a força: um dia eu vou ter essa experiência ao vivo estando o mais próximo possível do palco.

Tem vontades que são presságios. Anos depois, em 2006, lá estava eu arrumando a mochila para ir à Argentina assistir ao show dos Rolling Stones na turnê "A Bigger Bang", em Buenos Aires. Mas é claro que não fui sozinho. Convoquei três amigos de fé, e lá fomos nós. Decidimos chegar um tempo antes para curtir o fim de semana na cidade, que nenhum de nós conhecia. Os dias que precederam o show foram intensos. Muita empolgação, risadas e, claro, muito rock and roll.

No começo da tarde daquela data tão esperada, já estávamos no entorno do Estádio Monumental, esperando o momento de entrar. Eu estava literalmente mais próximo do que nunca de realizar meu sonho adolescente de ouvir a icônica guitarra de Keith a poucos metros de distância. A cena dos portões se abrindo foi inesquecível. Saímos feito quatro crianças correndo sem que nada pudesse nos parar. Nosso objetivo era ficarmos colados ao palco. Conseguimos.

Quando chegamos aonde queríamos, lembramos de um pequeno detalhe: ainda faltavam muitas horas para o show começar. Os primeiros grupos que subiram ao palco já deram uma prévia da experiência única que estávamos prestes a viver. Não conhecíamos a maioria daquelas bandas locais, mas o grande público parecia adorar. A cada refrão, vivíamos uma comoção de torcida comemorando um gol em final de campeonato. O estádio estava ficando cheio, e confesso que quando foi chegando a hora da atração principal, eu já estava exausto. O calor era absurdo e a quantidade de gente por metro quadrado nos tornou um bloco único de pessoas se mexendo involuntariamente. Os vendedores de água já não conseguiam se aproximar e uma sede insuportável bateu forte – coletivamente. Os bombeiros se aproximaram pelo outro lado da grade que nos separava do palco e, além de nos dar banho de mangueira para aliviar o calor, começaram a entregar copos de água para irmos bebendo e passando adiante. Ainda consigo escutar as vozes quase desesperadas (a minha também) implorando um pouco de água, gritando: "Un vasito, por favor! Solo un vasito!"

Nesse momento comecei a lembrar daquele papo de que é nas viagens que conhecemos de fato as pessoas com as quais já temos algum convívio. Os dias anteriores ao show haviam sido de total tranquilidade e diversão, favorecendo demais o clima amistoso entre nós. Nesse período de alegria, certamente nos aproximamos ainda mais e vivemos juntos histórias que a regra de cumplicidade das boas amizades torna impublicáveis, mas que nos fazem rir até hoje.

E, ao contrário do que muitos poderiam imaginar, os momentos de perrengue que passamos juntos durante horas e mais horas em pé na pista completamente lotada, com calor e sede, pulando abraçados mesmo sem querer, refrão atrás de refrão, reforçaram uma característica daqueles caras que eu até imaginava que eles tivessem, mas jamais havia visto na prática: a parceria incondicional.

Nós quatro éramos um time, nos protegíamos e nos fortalecíamos de todas as formas possíveis – criando uma barreira de proteção para tentarmos (em vão) manter o nosso espaço, distribuindo entre nós e os mais próximos a pouca água que conseguíamos ou ainda fazendo alguma piada para manter o clima leve; afinal de contas, tínhamos chegado até ali para realizar um sonho, e não para viver um drama conjunto. Mesmo levando a situação com o maior bom humor possível, estávamos esgotados – e reparem que eu ainda nem cheguei na parte da história em que o show dos Stones começa.

Suor, refrões, multidões, outras piadas, expectativas, horas e horas se passaram até que finalmente chegou o momento daqueles quatro senhores celebrarem sua longa amizade no tão esperado espetáculo. Seriam *apenas* colegas de banda? Não sei, mas o fato de estarem juntos ali, ano após ano, superando as mais diversas fases da vida e da carreira, certamente os tornava uma inspiração para nós, os quatro amigos esmagados na plateia, seguirmos acreditando na beleza de dividir os bons momentos ao lado de pessoas queridas. Embora não estivesse no conforto de casa ou justamente por estar vivendo a realidade, e não apenas assistindo do sofá, era imensa a alegria que eu estava sentindo ali com a minha turma. Muita história estava prestes a adentrar naquele palco, e onde nós estávamos? Presentes. Sendo muito sincero, não lembro qual foi a primeira música. Só sei que, quando o show começou, fui transportado para outro planeta por uma emoção que nunca havia sentido antes. Era inacreditável perceber que havíamos conseguido nos manter em frente ao palco depois de tantas horas e que aquela banda que eu ouvi a minha vida toda estava ali, vibrando com a gente.

Quando voltei desse momento de catarse, começou a segunda música. Ali nós percebemos que o público argentino é realmente diferenciado. Nunca presenciei tanta gente apaixonada por rock no mesmo espaço, pulando e gritando ao mesmo tempo. De fato, era algo memorável o que estávamos vivendo. A verdade é que quando lembrei que "Satisfaction" provavelmente seria a última música, meu instinto de sobrevivência deu a ordem: *Precisamos de uma pausa*. Eu vi algumas pessoas desmaiando e, àquela altura, quando enxergava meus amigos, eles estavam cada vez mais distantes de mim. Nos vimos de longe, mantendo a conexão com um olhar que dizia "vai que eu te encontro", quase como um até breve.

Antes da terceira música fiz um esforço descomunal para me deslocar da massa e ir me afastando do palco como quem rema contra a maré. Aos poucos, os espaços foram se tornando mais amplos, o ar mais farto e um alívio foi chegando. Eu estava pronto para curtir o resto do show em algum lugar mais tranquilo e torcer para reencontrar meus amigos antes do final. Havíamos combinado que só sairíamos do estádio juntos, o que, naquele momento, parecia impossível. Mas é engraçado como o conceito de impossível se torna questionável para quem acabou de viver uma experiência mágica como aquela. Simplesmente relaxei e me permiti curtir o show sozinho, como sabia que cada um dos meus amigos estava fazendo. Mas algo mais forte foi tomando conta de mim à medida que o show ia se aproximando do final. Lembrei do dia em que desejei estar ali. Era tão distante. Mas os sonhos descobrem os caminhos por desconhecerem as distâncias. E senti uma necessidade de me reaproximar e viver aquela intensidade novamente próximo ao palco. Foi o que fiz.

Passo a passo, metro a metro, centímetro a centímetro. Quando olhei para o telão, percebi que o show estava acabando e que o bis logo começaria, exatamente como eu havia visto na televisão da minha casa. Agradeço muito por ter aprendido a não ignorar os impulsos que vêm de dentro, quase inconscientes. Foi atento a esses sinais que hoje posso afirmar que a felicidade, quando é fruto da realidade de um sonho concretizado, é sempre mais sincera do que a mais perfeita ilusão em que as vontades suprimidas nos fazem acreditar. Eu fui apenas seguindo como quem escuta um chamado – que, no caso, era uma sequência de acordes de guitarra.

O som de "Satisfaction" invadiu o Estádio Monumental e se misturou aos berros de celebração e êxtase de milhares de pessoas ao mesmo tempo. Meu coração acelerou. Uma chuva intensa começou a cair, se misturando com minhas lágrimas enquanto eu presenciava um desejo que lancei ao mundo sendo atendido. A multidão enlouqueceu quando Mick Jagger, completamente encharcado como todos nós, começou a rodar sua camisa no alto. Mick era apenas mais um entre milhares, ao mesmo tempo que, ao lado de Charlie Watts, Ron Wood e Keith Richards, se tornava único.

Quando olhei para o lado, tive aquela sensação de encontrar água no deserto ao ver meus amigos me procurando para comemorarmos aquela realização. Pulamos, cantamos, celebramos e voltamos juntos. Cansados, cheios de barro e, é claro, a pé. Afinal, na condição em que estávamos, nenhum táxi parou para nos levar. A odisseia toda virou história para contar: *a nossa história*. Mesmo sabendo da efemeridade das lembranças diante de uma vida inteira, os momentos que passamos ao lado das pessoas certas se tornam memoráveis.

Os grandes amigos não nos abandonam. Mesmo à distância. E isso é raro hoje em dia. Por mais bobos, loucos ou inusitados que sejam nossos sonhos ou desejos, existem companhias que já os validam.

Eu tenho o imenso privilégio de ter amizades íntimas que já duram décadas. Essas pessoas passaram comigo por diferentes momentos, então é inevitável que tenhamos acompanhado alguns dias de tristeza e ocasiões mais difíceis uns dos outros. Mas o que realmente difere as pessoas que são próximas a mim dos amigos que viraram irmãos é, sem dúvida, o fato de eles conhecerem não só meus medos, mas as minhas realizações desde quando eram apenas expectativas. A sensação é de que chegamos juntos. Por isso, dividir algo realmente bom com alguém em quem você confia é ter a certeza de alegria em dobro. É incrível ver os caminhos que cada um trilhou. É lindo ver quem eles se tornaram. Amigos representam uma parte do nosso passado que deixou saudade, e por esse motivo a gente ainda se vê naqueles rostos que não pararam no tempo.

Eu sempre tive muitos sonhos, dos mais simples aos impossíveis (que são os que exigem as maiores comemorações quando realizados). Minhas amizades acompanham cada novo projeto ou ideia, desde livros, músicas, shows, viagens, até tudo o mais que pode nos levar a celebrarmos juntos. Como é emocionante encontrar até mesmo os pais dos meus amigos e ver a alegria que eles também sentem contando as realizações dos filhos e ouvindo as minhas. É como se fôssemos uma família. Uma banda. Uma multidão de poucas pessoas em que cada um se torna único quando estamos juntos. Vamos para a vida, nos realizamos e, pela combinação de vontade, destino ou acaso, voltamos a nos encontrar para uma nova turnê. Às vezes ela dura muitos dias em alguma viagem pelo mundo, às vezes apenas poucas horas na velha mesa do bar mais próximo. Para as amizades reais eu sempre relembrarei que a pergunta não é "para onde?", mas "com quem?".

Que venham os próximos shows.

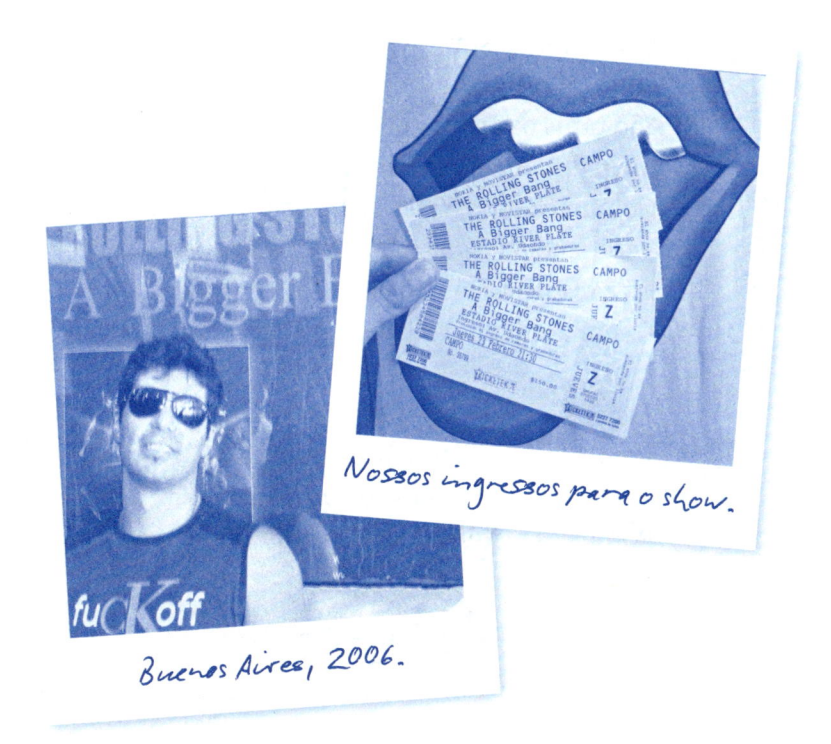

Nossos ingressos para o show.

Buenos Aires, 2006.

Aos amigos

Quem se aproximou de você
Mas perdeu o respeito porque ganhou intimidade
Não entendeu o básico sobre amizade.
A confiança é o segredo do confidente.
Por isso, respeitar quem se abre com a gente
É o que nos torna íntimos de verdade.

Pense em todos os seus amigos
Que têm com você essa proximidade.
Sim, serão poucos nessa lista
Porque intimidade não é só escolha,
É uma conquista.

São raros os amigos que,
Além de contar para todas as horas,
Contamos tudo, não só o que nos apavora,
Mas também o que mantém nossa esperança viva.
Eles respeitam nosso passado
E conhecem nossas expectativas.

Amigos íntimos são atemporais
Porque estão sempre presentes,
Mesmo quando estão do outro lado do mundo.
Porque as histórias que vivemos juntos
Vivem dentro da gente.

Assim, nossa relação com as pessoas
   mais próximas
É, na verdade, um espelho
De como nos relacionamos com nós mesmos.
Nossa identidade e nossas amizades
Têm pontos conexos.
Somos um, por sermos reflexo.

Muitas vezes, não se abandonar
É procurar o outro para se encontrar.

Então não se abandone
Em tempos tão estranhos,
Se reaproxime dos mais íntimos,
Ligue, escreva, relembre:
"Aos amigos, eu estou aqui."

Quando a gente tem intimidade
A ponto de se ver no outro,
Cuidar dos seus
É cuidar de si.

Sua história

É impossível ficar com a mesma pessoa
    por muito tempo
Até porque nem você vai continuar igual.
Manter os mesmos relacionamentos não
    significa se repetir
Nem insistir em velhos erros.
A gente muda de ideia, de planos, de assunto,
Mas quando o sentimento continua sendo especial
A gente muda junto.

Relacionamento longo é como um filme
    que você já viu,
Mas hoje chorou na parte em que antes riu.
Como dessa vez não sabe o fim, chega à conclusão:
Nós somos iguais, mudamos demais,
Somos inconstantes, porque somos
    personagens reais.

As maiores amizades também são assim,
Sem cobrança, acompanhando as mudanças.
Pense naquele grande amigo
Que você reencontra muito tempo depois.
Não dá para querer que sejam
Os mesmos papos e atitudes.
Cada um foi por um caminho,
Mas, por mais que tudo mude,
Continua o mesmo carinho.

Reconhecer essas longas amizades
   ou relacionamentos
É entender que essas pessoas fazem parte
   da sua história.
Se for preciso, mude o cenário, esqueça
   os dramas,
Só guarde as cenas boas na memória.
Troque o "mais do mesmo"
Pelos mesmos, mas cada vez mais.

Mais encontros, mais respeito,
Mais filmes que gostaríamos de rever,
Mas que já passaram e não vão voltar,
Porque vida real não tem reprise,
Não tem dublê.
E já que tudo vai mudar,
Valorize quem continua com você.

Morada

Nunca confunda diálogo com monólogo.
Interagir é mais do que só falar de si.
Se você tem a sorte de ter alguém do seu lado
Que depois de você ter falado
Continua disposto a te ouvir,
Comece a retribuir.

Sabe aquelas pessoas que nos fazem sentir
Sempre bem-vindos
Com braços e ouvidos abertos?
Dar espaço para que elas também se abram
É o que vai mantê-las por perto.

Não é porque estão
Sempre prontas para nos fortalecer
Que elas conseguem ser fortes o
    tempo inteiro.
Às vezes apenas se acostumaram a ter
    que deixar
Suas fraquezas guardadas.
Mais do que agradecer,
É preciso devolver
A atenção que nos é dada.

Amizade é assim:
Num dia visita, no outro morada.

Se você tem alguém
Que, mais do que esperar sua hora de falar,
Oferece seu tempo para te escutar,
Retribua
E nunca deixe de relembrar:
Se precisar,
A casa é sua.

Amizade é assim:
num dia visita,
no outro morada.

@allandiascastro

Irmãos

Nem todo irmão é amigo, infelizmente.
Mas tem amigos que entram na vida da gente
E, mesmo não sendo parentes, viram irmãos.

Quem são eles?

São os de sangue, de fé,
De alma, de coração.
Enquanto uns nunca têm tempo,
Os irmãos são para todas as horas.
São aqueles que, quando partem,
Levam um pedaço da gente embora.

Não só nos momentos difíceis,
Os amigos-irmãos se revelam,
Mas também nas suas conquistas.
Bem diferente dos oportunistas,
Eles não querem o seu lugar.
Como sempre estiveram ao seu lado,
Por você ter chegado
Entendem que também chegaram lá.

Sempre que me pergunto
Por que alguns amigos assim
Acabam desaparecendo,
Acabo esquecendo que a resposta
Quase sempre está em mim:
Será que eu estou sendo?

Amigos-irmãos são mais raros do que se pensa
E, às vezes, é uma ligação,
Uma mensagem, um momento
Que faz toda a diferença,
Porque acaba com anos de afastamento.

Não deixe uma amizade assim
Virar uma lembrança esquecida.
Fale enquanto puder mudar o dia
De quem já mudou sua vida.

Será que nós vamos aos velórios para compensar os aniversários a que faltamos?

@allandiascastro

Carta de amor

Quem quer te mudar
Nem sempre quer te ver voar,
Talvez por não saber.
Quem te aceita é porque te ama
A ponto de apoiar suas mudanças,
Abraçar suas novas asas
E pular com você.

Isso é confiança,
E confiar é dar espaço sem abandonar,
É dar um passo para se reencontrar
    a cada chance,
É nunca parar de caminhar,
Mas estar sempre ao alcance.

Eu não sei o que seu sorriso esconde,
    mas respeito.
Eu não sei quem já te fez rejeitar a si mesma,
    mas eu te aceito.
Não há nada que seja tão imperdoável
    no seu jeito
Que eu não vá no mínimo tentar
    compreender.

E, se eu não conseguir, tudo bem.
Amar é trocar a procura de entendimento
Por se encontrar em um sentimento.
E eu te amo, sem julgamentos.

Eu jamais vou lhe dizer o que fazer,
Porque seria subentender
Que eu sei mais de você do que você.
E eu não sei. Eu estou tentando me entender,
E isso já dá um trabalho absurdo.

Seria injusto da minha parte mergulhar
No raso do seu furacão para dizer
    "respira fundo".
Eu também estou precisando de ar,
Então respiramos juntos. Caminhamos juntos.
Atravessaremos juntos os próximos furacões,
Mudaremos e cresceremos juntos.

Vai, voa, se transforma,
Ganha a forma sem tamanho
Que pede a sua alma de grandeza tamanha
E volta sem precisar voltar a ser quem era.
A minha calma não te espera:
Te acompanha.

Sozinho bem acompanhado

Hoje a vida me convidou para sair sozinho
E, antes de sair dizendo que "não",
Eu me aceitei. Hoje não me deixei para depois.
Eu me encontrei no caminho e percebi:
Antes doce solidão do que azedume a dois.

Eu conversei com meus silêncios,
Eu me levei para ouvir o mar.
Meu compromisso era comigo,
Por isso deixei o tempo me atrasar.
Quando voltei, sorri, agradeci em pensamento,
Porque hoje entendo:
Quando se trata de companhia,
Tem diferença entre querer e precisar.

Se ilude aquele que diz que a solitude
Precisa ter alguém sempre do lado.
Quem anda sozinho, mas não se sente só,
É porque consegue consigo
Estar bem acompanhado.

Quem anda sozinho, mas não se sente só

@allandiascastro

Saudade das pessoas que deixaram saudades

A dor da perda não perde a força, é a gente que se fortalece.

@allandiascastro

A guitarra do meu pai

Meu pai comprou sua primeira guitarra aos 50 anos de idade. Lembro perfeitamente do dia. Minha mãe me buscou na escola e, quando chegamos em casa e descemos do carro, levamos um susto – daqueles que nos fazem abaixar a cabeça e levar os braços à frente do rosto instintivamente para nos proteger de algo inusitado que se aproxima. Olhei para o lado como quem diz "está ouvindo o que eu estou ouvindo?", ao que ela assentiu com uma expressão desconfiada e me retribuiu o olhar de questionamento e curiosidade.

Seguimos da calçada até o acesso de entrada ainda receosos, e a sensação era de estarmos a poucos passos de algo que poderia ser tanto a passagem de som de uma grande banda de rock quanto uma ambulância atravessando nosso pátio com a sirene freneticamente ligada. Minha mãe, até hoje, quando relembra esse dia, o define como o som do fim do mundo se aproximando. Mas, para nosso alívio, era mais simples do que imaginávamos. Quando criamos a coragem necessária para desvendar o mistério, abrimos a porta e lá estava, no fundo da sala, um sorriso daqueles raros, imensos, sinceros, que rompem as máscaras da rotina que nos molda a um padrão no qual insistimos em chamar de alegria um ensaiado mostrar de dentes.

Sorrimos espontaneamente de volta ao perceber que todo aquele transtorno sonoro não passava de um adolescente com meio século de vida realizando (com certo *delay*) a até então utopia de empunhar e chamar de sua uma guitarra elétrica novinha. Ao lado dele, quase como um porta-voz anunciando que a longa espera havia acabado, estava um imenso amplificador de som que finalmente gritava possibilidades adiadas e desejos abafados pelo tempo.

Os motivos pelos quais o sonho só conseguiu ser realizado depois de tantos anos, conforme as conversas que tivemos, foram dois. Primeiro, financeiro. Por mais que o valor de um instrumento já não fosse tão alto quanto na adolescência do meu pai, ele gravou na mente aquela ideia de que era algo impossível, mesmo já estando em uma condição completamente confortável. Décadas se passaram até que a compra de um supérfluo dessa magnitude voltasse a ser cogitada e, num ímpeto de ousadia, fosse endossada pela nostalgia. O segundo era, certamente, emocional. A música era a grande paixão do meu pai. Sempre foi. Como a carreira artística acabou cedendo lugar à jurídica, os símbolos que remetiam à fase musical demoraram a ganhar novamente um aspecto positivo. Mas ganharam. Ou melhor, nunca perderam. Apenas tiveram seu volume drasticamente reduzido pelo silêncio de uma voz sufocada por um nó de gravata. E como é bonito ver o poder que a arte tem de revolucionar a vida das pessoas em qualquer idade. Aquela guitarrinha branca representava não só uma válvula de escape no fim do dia, mas uma janela que parecia ter vista para o passado e que, quando aberta, escancarava a atemporalidade dos nossos sonhos.

Certamente, essa foi a fase da nossa vida em que mais

me aproximei do meu pai. Eu tinha uns 15, 16 anos, e nunca havia morado com ele até essa idade. Desde antes do meu nascimento, ele trabalhava em outra cidade e voltava para casa apenas nos fins de semana. Quando finalmente surgiu uma oportunidade profissional viável para ambos, meu pai e minha mãe se mudaram para Guaíba, que fica ao lado de Porto Alegre, e resolveram a questão da distância. Eu fui junto. Minhas irmãs, já adultas, preferiram continuar levando a vida em Passo Fundo, no interior do Rio Grande do Sul.

A música era meu maior ponto de conexão com meu pai. Ouvíamos de tudo, de Roberto Carlos a B.B. King, de Tim Maia a Jimi Hendrix. Mas absolutamente nada marcou mais esse retorno do meu pai como aspirante a guitarrista solo de alguma banda de rock imaginária do que a música "Wish You Were Here", do Pink Floyd. Principalmente o solinho inicial. Ele realmente levou a sério a vontade de solar com sua guitarra, a ponto de fazer aulas particulares, que, para o desespero dos vizinhos, eram ministradas em nossa casa. Eu estava sempre junto, e aproveitava para aprender uma coisa ou outra de ouvido. Acabei ficando responsável por fazer a base da música no violão enquanto ele solava na guitarra. No início, no meio e no fim dos ensaios com o professor, lá estava meu pai tocando "Wish You Were Here". Isso quando ele já não começava antes da aula para aquecer e se estendia até depois do horário para reforçar o trecho novo que aprendera da mesma música. Qual? "Wish You Were Here", é claro. Aquele "tam tanram taram" virou motivo de piada interna lá em casa e quase a marca sonora do meu pai. Eu olhava para ele e já ouvia aquela música dentro da minha cabeça. A fixação era tanta que, certo dia, após o que seria talvez a milésima reprodução daquele solo, a gente se olhou e caiu na risada. Lembro perfeitamente dele falando: "O Allan nunca mais vai esquecer dessa música. Nem depois que eu morrer. Aliás, é o nosso sinal, ok? Quando ouvir em algum lugar e eu já tiver morrido, pode saber que estou por perto." Eu ri, concordei, e a vida seguiu.

O entusiasmo do meu pai com as aulas de solo foi esfriando, eu acabei ganhando uma bateria e formando uma banda com alguns bons amigos. Não existe maior prova de apoio do meu pai ao nosso grupo do que o fato de ele ter emprestado a sua amada guitarra para nosso vocalista em algumas ocasiões. Como a bateria era muito grande, os ensaios eram lá em casa. Meu pai parecia mais um (talvez o mais empolgado) integrante. Minha mãe fazia o lanche, e assim se passavam as tardes dos fins de semana, com muita música, comida, risadas e sonhos fomentados por diferentes gerações. Essa foi a fase em que comecei a escrever letras de música, textos e poemas. Foi um hábito que virou paixão e, após uma longa trajetória, profissão.

A banda acabou, as amizades e a escrita me acompanharam ao longo dos anos. A guitarra do meu pai, também. Mudamos para Porto Alegre, e lá foi a guitarrinha no caminhão de mudança. As sessões de música lá em casa seguiram por vários anos, mesmo que só com meu pai na guitarra e cantando, e eu na bateria e berrando. Fazíamos shows homéricos para um público atento e amoroso composto por dois cachorros e minha mãe. Algumas vezes, improvisávamos figurinos. O clássico era bermuda, sem camisa e umas gravatas na cabeça, quase como um protesto irônico à fase do silêncio imposto à música pela profissão que meu pai seguiu. Quando vinham nos visitar, minhas irmãs também não escapavam, eram convidadas (através de certa persuasão) a sentar no sofá/camarote e acompanhar pelo tempo que aguentassem a nossa efusiva apresentação.

Depois que mudei para o Rio de Janeiro, sempre que voltava para casa era obrigatório um ensaio para alguma oportunidade que pudesse surgir de nos apresentarmos, algo como um amigo ou parente desavisado que topasse nos "prestigiar". E como eu me divertia com aquilo. Lembro quando um de nós errava algum trecho, o que era bastante frequente, como nos olhávamos e quanto ríamos por dentro, mas tentávamos disfarçar até um dos dois não aguentar mais e explodir numa risada de lavar a alma. "Bora, conta até três e segue o som", dizia ele. Seguíamos. Afinal, o show não podia parar. Aquele instrumento pendurado no pescoço do meu pai servia para lembrar que nosso compromisso era com a gente. A música virou parceria e diversão, e a guitarra definitivamente se tornou o elo, o nosso símbolo de celebração do amor entre um pai e um filho.

Olhando para trás agora, é quase inimaginável que já tenham se passado mais de vinte anos desde aquele dia em que eu e minha mãe abrimos a porta e fomos recepcionados por um sorriso segurando uma guitarra nova. Tenho uma dificuldade ainda maior de acreditar que já faz mais de três anos que não se ouve música saindo daquele amplificador. O motivo? A guitarra do meu pai, abandonada, virou a representação silenciosa de um inquietante questionamento: o sonho também morreu? Sim, às vezes a morte se aproxima sem fazer muito barulho. E esse silêncio calou fundo demais em mim, por muito tempo.

    Quando recebi a notícia de que meu pai havia falecido, eu estava em casa, no Rio de Janeiro. Estávamos exatamente no início da pandemia e ninguém podia ficar com ele enquanto permanecia hospitalizado. Minha mãe, que não pôde entrar em nenhum dos outros dias porque, naquele momento, a área de covid-19 era restrita a pacientes e profissionais da saúde, naquela tarde foi convocada pelo médico a fazer uma visita. Entendemos a gravidade da situação, mas não queríamos acreditar. Eu estava com minha esposa em uma consulta com a obstetra quando minha mãe ligou. Ela falou que havia acabado de sair do hospital e que foi ótimo ter tido a oportunidade de ver meu pai. O que poderíamos fazer agora era seguir enviando boas energias e torcendo para que ele se recuperasse, disse ela, tentando transparecer esperança. Mas, no fundo, sabíamos que havia sido uma despedida.

    À noite, uma agonia enorme tomou conta de mim. Eu andava de um lado para outro em casa, até que resolvi ir para o quarto fazer uma oração, pensar em algo positivo ou ler alguma coisa que pudesse trazer um pouco de conforto. Foi quando entrou uma notificação no meu telefone, de uma prima que havia recebido a notícia antes de mim. Eu li a mensagem, mas não consegui responder. Fiquei em silêncio como quem já pudesse prever a ligação que chegou segundos depois. Era minha mãe. Atendi, falei apenas "oi". Ela respondeu: "Filho, acabou. Hoje mais cedo não foi só uma visita, foi um adeus." A única coisa que consegui responder foi que estava indo para lá o mais rápido possível. Assim que desliguei, telefonei para minha irmã que também mora no Rio e encontramos passagens para a manhã do dia seguinte. Obviamente, não consegui dormir.

    A Ana, minha esposa, no sétimo mês de gravidez, demorou a acreditar na notícia. Fiquei com medo de que algo acontecesse a ela. Por isso, minha ideia era abraçar meus familiares em Porto Alegre e voltar o mais rápido possível para não deixá-la sozinha muito tempo. E quando eu falo abraçar, lembro que nem sabia se isso seria viável. As restrições da pandemia eram massivamente divulgadas e, entre elas, a recomendação de evitar contato físico era uma das principais. Passei a noite sentado no sofá da sala com a cabeça devaneando entre lembranças e inusitadas previsões do que poderia vir a ser a fase que se seguiria sem meu pai.

    Logo cedo, parti para o aeroporto devidamente equipado, inaugurando a longa temporada de máscaras e luvas descartáveis. Mais do que a dor, naquele momento, o medo me acompanhava. Tinha certeza de que pegaria aquele vírus e o passaria adiante. Mergulhei numa paranoia inquietante que só se amenizou quando encontrei minha irmã no aeroporto e começamos a botar para fora toda aquela aflição que nos era comum.

    Quando enfim chegamos a Porto Alegre, fomos direto do aeroporto para a cerimônia de despedida, que, devido às regras impostas pela covid-19, foi exclusiva para familiares. Encontramos nossas outras duas irmãs, nosso sobrinho e nossa mãe. Obviamente, nos abraçamos. Um abraço que nos protegia de qualquer receio ou martírio. Sem pensar em consequências, a necessidade de estarmos juntos era a única regra vital nesse momento. Naqueles longos segundos, o contato físico foi o nosso abrigo. Nada poderia ser mais frio do que aquele cemitério vazio, em uma cerimônia apressada, com as pessoas que você mais ama chorando em volta de um caixão fechado. O padre responsável pela capela fez uma breve oração a céu aberto, os funcionários do local levaram meu pai e aquele pesadelo parecia ter terminado. Ledo engano.

    A gente volta para casa deixando um dos nossos para trás. O "nunca mais" passa a se fazer presente a cada segundo. É justamente a partir desse momento que a falta começa a ocupar espaço na sua vida. E esse processo de luto que se inicia é extremamente pessoal e intransferível. Por mais que pareça algo possível de ser adiado ou até ignorado, uma hora você vai ter que revisitar o foco da sua dor para poder seguir em frente na vida. Eu não consegui tentar me convencer de que meu pai estava viajando e que logo voltaria, como me foi sugerido fazer. Até porque, assim que chegamos em casa da cerimônia, estacionei o carro da minha irmã e entrei pela garagem. Por esse caminho, eu inevitavelmente teria que passar pela nossa sala de som. Foi o que fiz. Circulei pelo espaço, atravessei o que costumava ser nosso antigo palco, sentei no sofá e, por algum tempo, evitei olhar para o canto onde meu pai certamente estaria se estivesse ali comigo: ao lado da porta que dá para o pátio, sentado no amplificador, com um sorriso no rosto e a antiga guitarrinha branca nas mãos. No exato momento em que levantei os olhos e vi apenas a guitarra, chorei compulsivamente. Não consegui pegá-la para tocar, fiquei apenas olhando-a por um tempo e tentando entender tudo o que ela representaria a partir de agora.

Levantei, fui pegar um ar do lado de fora, atravessei o quintal e fui até a mesa de jantar da churrasqueira. Sentei no banco onde costumávamos ter longas conversas durante os almoços e festas de família e, sem ninguém ao lado, não conseguia parar de chorar. Quando me acalmei por um momento, retornei para a sala de som, mas não parei. Desliguei a luz e, como quem apaga uma parte do próprio passado, não consegui voltar mais ali.

Meu voo de retorno estava marcado para o dia seguinte de manhã. Precisava voltar para o Rio e focar na chegada iminente da minha filha Serena. A viagem de volta foi a que considero a mais confusa e dolorosa até então. O clima nos aeroportos parecia uma cena de filme retratando o fim dos tempos. Salões vazios, poucas pessoas viajando apenas por extrema necessidade, todas ainda se adaptando às novas regras de convivência. Eu estava sozinho, ainda apavorado, e precisava encontrar uma solução que me acalmasse e ajudasse a passar o tempo até o embarque. Foi quando peguei meu bloco de notas e escrevi a letra de uma canção que um parceiro havia pedido alguns meses antes. Ali, a música e a poesia, mais uma vez, foram fundamentais na minha vida. O poema que escrevi se chamou "Pai presente", representando todas as dúvidas e a falta intensa que eu senti por um longo período.

Demorei a voltar a Porto Alegre depois que meu pai faleceu. Retornei uma vez a trabalho e, quando o isolamento começou a se flexibilizar, fui algumas vezes, já com minha filha comigo. Era sempre muito difícil chegar lá e não ser recepcionado pelo meu pai no aeroporto, como era de praxe. Ir para nossa casa, então, era como estar sempre de sobreaviso a cada porta que se abria, como se ele fosse chegar a qualquer momento para me dar um abraço. A sala de som, por algum tempo, era como um local proibido para mim. Da mesma maneira que meu pai demorou a ressignificar a música na vida dele, eu também tive meu período de restrição. Nos primeiros meses após sua partida, a alegria que era representada pelas referências musicais ganhou um outro tom. Sinceramente, tive até raiva daquele instrumento. Me sentia como um grande fã que pede uma última música, um último olhar, uma última risada, mas é impetuosamente ignorado repetidas vezes. O símbolo do meu luto passou a ser aquela guitarra branca, já sem uma corda, empoeirada pela solidão, que tocava sem nenhum volume e ininterruptamente uma única música que traduzia o meu mais profundo desejo: "Wish You Were Here."

É incrível como passei a ouvir essa música nas mais inusitadas situações. No rádio do carro, em algum restaurante, no toque do celular de alguém. No começo, era sempre acompanhada de dor. Hoje em dia, é um nítido recado que já havia sido anunciado há muitos anos: "Filho, é o nosso sinal. Eu estou por perto." Lembro disso e, invariavelmente, fecho os olhos e agradeço: meu pai está presente.

Eu ainda não consigo tocar naquela guitarra, mas já não sinto mais raiva do que ela representa. Pelo contrário. Hoje revisito com alegria o dia em que eu e minha mãe abrimos a porta de casa e nos deparamos com meu pai e seu desejo realizado nas mãos. Aquele sorriso sincero ainda me faz sorrir. Aquele instrumento ainda me faz acreditar nas nossas verdades mais íntimas, aquelas que o tempo, muitas vezes, nos obriga a silenciar. Hoje em dia, eu entro na nossa sala de som e acendo as luzes. Afinal, o show não pode parar. "Bora, conta até três e segue o som."

Quando olho para a guitarra do meu pai, entendo que a vida continua, que o amor permanece e, é claro, que o sonho não morre.

Meu pai com sua primeira guitarra.

Eu ainda tinha pai

Antes das máscaras
Antes da falta de ar
Antes dos órgãos falindo
Antes do batimento parar
Eu ainda tinha pai.

Antes da ligação
Que anunciaria a morte
Que foi antecedida
Por uma mensagem de WhatsApp
Que jamais respondi
Até esse momento
Desde quando nasci
Eu ainda tinha pai.

Depois do nascimento da minha filha
Depois das doses da vacina
Depois dos livros que vieram
Depois da neta bailarina
Depois das flores
Que se recusaram a morrer também
E insistiram em voltar a se abrir
Eu ainda tinha pai,
Só não estava mais aqui.

Os dias continuaram
A feira voltou para a rua
O mar ainda estava lá
O Natal insistiu em voltar.

E já que a vida seguiu
Ignorando o tempo
Dos lutos, das gestações e dos verbos
O nunca mais sobrevive.
Eu ainda tenho pai
E sempre tive.

Depois

Bobagens diárias

Hoje a saudade me fez sorrir.
Por maior que fosse a vontade
De sentir sua presença nos meus braços,
Eu me recusei a abraçar a tristeza,
Eu transformei vazio em espaço.

Hoje meu calendário não é feito só de datas.
O que está marcado no tempo são gestos,
São olhares que nos levam a tantos lugares,
A tantas chamadas bobagens diárias
Que nem sempre a gente dá valor.

São músicas, são palavras
Que chegam do nada,
Relembram as mais altas risadas
E silenciam a nossa dor.

Assim, eu posso guardar
Cada detalhe das boas lembranças.
E se, às vezes, o passado não passa,
Embora o tempo não pare,
A saudade é uma eterna criança
Brincando de parar no tempo.

Por isso a gente renasce
Cada vez que visita um bom sentimento.
Por isso hoje a saudade me fez sorrir.
Eu olhei para trás, lembrei de você
E, como quem reacende uma chama,
Renasci.

A saudade é uma eterna criança brincando de parar no tempo.

@allandiascastro

Vamos atravessar a saudade?

As memórias existem
Para nos fazer olhar para a frente,
Como se viessem avisar:
Ei, esse momento vai passar.
E passou. Passou. Passou...

O sentimento voltou no tempo,
Mas não ficou, porque é preciso lembrar:
Ao chegar na estação saudade,
Não podemos parar.

Nosso roteiro é sentir, se iluminar, seguir
Toda recordação
Que nos faça atravessar a escuridão
É um convite à continuidade:
Vamos atravessar a saudade?

Respire fundo, escolha sua companhia:
Um nome, uma lembrança,
Um lugar da sua infância,
A mesma música que ainda arrepia.

Revisite cada costume, sinta o perfume,
Volte no tempo lembrando daquela amizade,
Sentindo vontade de tudo que tinha à vontade.
Os encontros no meio da tarde,
Risadas sem hora marcada,

As conversas mais complexas
Ao alcance de um simples telefonema.

Sim, permita que um poema
Te faça voltar ao passado
E, de olhos fechados,
Veja quanto curtiu o caminho até aqui.

Quando chegar na estação saudade,
Não esqueça de repetir,
Sentir, se iluminar, seguir.

Pronto, pode abrir:
Os olhos, o coração, um sorriso.
Volte no tempo sempre que sentir que é preciso,
Porque honrar as memórias é resgatar um legado,
É um ciclo em que a gente ilumina nosso passado
E nosso presente é iluminado.

Se tudo tem um fim, com a dor não é diferente.
E não significa que a gente esquece,
Porque a dor da perda não perde a força,
É a gente que se fortalece.

Se você também sentiu
Que o sentimento que ficou
É um convite à continuidade,
Você aceitou, se iluminou
E atravessou a saudade.

Um livro na mochila

"E se nós respondêssemos com poesia?",
Perguntou o soldado que, em vez de arma,
Preferiu levar um livro na mochila.

Todos em fila riram
Até que ele respondeu:
"A ignorância de quem fuzila
É não perceber que quem acha normal
A ganância tirar a vida de alguém
É porque, há muito tempo,
Já morreu também."

Ele não durou nem um segundo no campo
    de batalha,
Mas muito mais do que medalha
Deixou para o filho um poema, que dizia:

"Atrás de toda arma tem um ser humano,
E todo ser humano tem seus gatilhos:
Medo, raiva, hipocrisia.
Até o fim eu acreditei na poesia
E, se morri, não me envergonho.
Armas só matam os homens,
Jamais seus sonhos."

Com o tempo, o filho entendeu
Que um poeta não acaba com a guerra,
Mas ninguém pode impedi-lo de sonhar
  com a paz.
E, só por isso, ele é capaz de manter
  a esperança viva.
A poesia não foi feita para matar,
Mas pode fazer com que o sonho sobreviva.

Mães e filhos

Mães e filhos não nasceram para despedidas.
Até o tempo, quando se afasta,
É para eternizar uma lembrança
E manter no filho o olhar de criança
Para sempre, aos olhos de quem lhe deu a vida.

Mães e filhos não nasceram para despedidas.

O carinho recebido, os sorrisos parecidos,
E até o sono interrompido
São recortes de um álbum de sentimentos
Que jamais serão esquecidos.

Como é lindo ver um filho
Entendendo o ciclo da vida
E retribuindo, lado a lado,
O amor que lhe foi oferecido.
O cuidado é o mesmo,
Mesmo quando muda de lado.

Mães e filhos não nasceram

Mães e filhos nasceram para se reencontrar.
É como se o tempo navegasse entre a
    montanha e o mar,
Não existe distância capaz de afastar.

Por isso, não importa para onde leve a vida,
Seja por perto ou mesmo para o inverso:
A mãe será sempre o ponto de partida
E o eterno cais de regresso.

para despedidas.

@allandiascastro

Calendário atrasado

Evitar falar da morte
Não nos torna imortais.
O que muitos não notam
É que as palavras que sufocam
É que podem ser fatais.

Ignorar a nossa dor
Nos faz viver pela metade,
Meias-palavras, meias-verdades.
Sabe aquela sensação de ter
Uma barreira para seguir em frente
Toda vez que lembra de algo que feriu a gente?

Eu queria falar das fases boas, e foram tantas,
Mas, sem antes encarar a dor da perda, não
    adianta,
Estaremos presos ao silêncio por um nó
    na garganta.

Lá em casa, quem atualiza o calendário
    normalmente é a Ana, minha esposa.
E por alguns meses ele ficou parado. Eu
    entendi.
E quando senti que não a machucaria,
    perguntei:
"Você viu nosso calendário? Tá atrasado."

Ela falou: "É, eu sei, não tô conseguindo
   mudar. Eu também parei no tempo."
Eu nem precisei perguntar o motivo,
   ela já falou:
"Eu deixei ele parado aí, porque nesse dia
   minha mãe ainda estava viva."

A gente se abraçou, foi a primeira vez que ela
   tocou no assunto diretamente.
Depois disso, deixou de ser um tabu. A gente
   pôde trocar experiências sobre nossos
   sentimentos,
E as boas memórias começaram a ganhar o
   espaço antes ocupado apenas pela perda.

Sim, a saudade é a vontade de voltar no tempo
Que está presente em um calendário atrasado.
É preciso estar em dia com nossos sentimentos
Para não viver no passado.

Ela sentiu que respeitar o seu tempo
Também significa deixá-lo passar.
Não estando presa em uma lembrança de dor,
Ela está livre para lembrar de todo amor.

Por amor

Superar uma perda
Não significa esquecer quem partiu,
É conseguir ocupar o vazio
Com lembranças que mantêm o seu
   sorriso vivo.
O amor vai ser sempre o motivo
   para continuar
Por quem se foi, por você, por quem ficar.

É por amor que você vai levantar da cama
Nos dias em que a falta não te deixou
   nem dormir.
É por amor que você vai voltar aos
   mesmos lugares
Sabendo que vai encontrar só a saudade.
É por amor que você começa a se permitir
A não desistir da felicidade.

Eu sempre me pergunto
"O que as pessoas que partiram
Gostariam que estivéssemos fazendo?"
Falando dos momentos felizes, sorrindo, sendo.

O amor é o motivo.
Então resgata um sorriso e nem pensa em parar
Por quem se foi, por você, por quem ficar.

O amor
é o
motivo.

@allandiascastro

Saudade de tantos Natais

É preciso lembrar de onde viemos para chegar até quem somos.

@allandiascastro

Casa da vó

A CASA DA MINHA VÓ VIROU UM PRÉDIO DE QUINZE andares. Não saberia dizer o número de pessoas que moram ali atualmente, mas tenho certeza de que a imensa maioria não tem ideia de quantos acontecimentos, histórias, festas, de quanta vida aquele espaço aterrado já abrigou. Mas eu não esqueço. Era uma casa de esquina com sacada, dois andares e um porão. Já foi de várias cores, mas na fase em que gravei na memória era de um tom de rosa bem claro. Tinha um jardim imenso, cheio de árvores frutíferas, um galinheiro, uma fonte d'água, as parreiras do vô, a casa do forno (de onde saíam os melhores pães e roscas para os cafés), um milharal, a churrasqueira externa, uma garagem abandonada e mais duas ou três casas menores que às vezes eram alugadas por terceiros. Tudo isso bem distribuído pelo terreno que se espalha por quase meia quadra e fica em frente a uma praça chamada Tamandaré. Ainda me é nítida a imagem da minha avó varrendo a rua e assobiando alguma melodia incompreensível e interminável enquanto os imensos plátanos à frente choviam incessantemente suas folhas pelas caçadas. Todo esse cenário era um parque de diversões completo para os treze netos que, em sua maioria, vinham de cidades diferentes e circulavam invariavelmente famin-

Casa da vó,
Passo Fundo
- RS

tos, animados e cheios de novidades para contar a cada nova temporada de férias.

    Até hoje eu faço uma brincadeira mental que é fechar os olhos e ir fazer uma visita aos meus avós. Apito no portão de ferro, avanço pelo pátio de entrada, vejo os bancos de cimento pintados de branco sobre a grama verde. Sigo até uma escada de três degraus com uma pequena rampa do lado, passo pela porta (sempre) aberta e chego à sala de estar. Vou indo peça por peça, vejo a mesa de jantar, sinto cheiro de comida, ganho uma prova de algo muito gostoso na cozinha, volto, subo as escadas para o segundo andar, vou entrando e saindo dos quartos, encontrando pessoas queridas, risadas, memórias, e acabo sempre me reencontrando. Em alguns momentos, quando reabro os olhos, eles estão cheios de lágrimas. Às vezes, é por querer ficar um pouco mais, como nos dias em que chegava por lá no começo da tarde e ia me estendendo até o anoitecer, como se a expressão "voltar pra casa" soasse redundante a ponto de não fazer sentido. Eu era vizinho dos meus avós. Meus pais haviam alugado a casa exatamente ao lado da deles. Por isso, eu e minhas irmãs precisávamos de apenas alguns passos para chegar lá. Hoje, basta fechar os olhos.

    E como é boa a sensação de chamar de lar essa parte do meu passado. É como se nessa área específica do meu cérebro a gente não precisasse crescer. Nem morrer. Nem construir edifícios em cima das recordações. Nem ter vergonha de perceber que hoje é você quem está ocupando o lugar de seus pais e tios e criando memórias para seus filhos ou sobrinhos, mesmo que, às vezes, ainda se sinta apenas como aquela criança que adoraria passar a tarde atirada no sofá da casa da vó sem precisar fingir que tem certeza de nada. Eu não tinha. Eu não tenho. Até hoje não sei como aquela árvore de Natal, que sempre era um pinheiro natural, se enchia de presentes em sua volta num piscar de olhos. Mas lembro como era inquietante e divertida aquela espera até o Papai Noel da vez, algum tio suando muito por trás da máscara de plástico e da almofada na barriga, chamar pelo seu nome. Em poucas horas, o ciclo de um ano inteiro de expectativa pelo reencontro de toda a família se encerrava, tão efêmero quanto o tempo de uma risada espontânea de alguma tia, do choro de algum primo que não ganhou o que esperava ou das inúmeras conversas que pareciam vir de todos os lados ao mesmo tempo. Toda essa energia refletia no olhar dos meus avós, visivelmente satisfeitos com os cômodos e os corações cheios.

No outro dia, churrasco. O clássico do Natal lá na casa da vó. Meu vô começava cedo, a casa ia acordando aos poucos, as mesas, dos adultos e das crianças, iam ficando completas, e a comida só era servida quando todos estavam sentados. Demorava, é claro. Mas, quando menos percebíamos, as cadeiras estavam vazias e um silêncio abrupto gritava *saudade* pelos próximos 365 dias. Mais um ano, mais um Natal, mais uma vez o coração completo: estávamos presentes.

É incrível como esse ciclo parecia infinito. Hoje, sou eu que estou suando e rindo um hou hou hou animado atrás de uma barba branca postiça, torcendo para que meus sobrinhos finjam não saber quem está ali fantasiado de Papai Noel por mais alguns anos e minha filha esteja criando lembranças tão significativas quanto as que tenho da minha infância na casa da vó. E são tantas, contadas ou vividas. Meus pais se casaram naquela casa. Anúncios de gravidez, nascimentos, perdas tão sentidas amenizadas por notícias de novos nascimentos. Grandes arrumações para datas especiais, frutas descascadas em rodas de conversa no fim de dias comuns. A televisão enorme anunciando alguma grande mudança no país (que ninguém ouviu porque estávamos brincando de jogar almofadas), o dominó entretendo a calmaria da rotina.

Tias, tios, genros, noras, primas, primos, sobrinhos, sobrinhas, irmãs, irmãos, pais, mães, vô, vó. Família. É muito sentimento para virar concreto. Hoje, quando olho aquele edifício que insiste em morar na casa da minha vó, não vejo um conglomerado de cimento, goteiras ou reclamações de condomínio. Nem pessoas como um conjunto de ossos, água e ego. Eu vejo famílias vivendo cenas que, talvez agora, por sua simplicidade, elas não percebam, mas que irão para o álbum mais valioso futuramente: o das saudades.

Pensando assim, percebo que a casa da minha vó não virou um prédio. Virou uma árvore de quinze andares. O maior plátano da praça. E não poderia ser diferente. Nossa memória não foi soterrada, foi plantada, como se toda a vida que tivemos ali virasse semente para tantas outras "casas de vó". São histórias vivas ali naqueles enormes galhos e ramificações. Uma espécie única de árvore genealógica que não leva dentro de si o mesmo sangue, mas a mesma seiva: amor. Cada fruto dado, assim como todo bom sentimento, não se restringe apenas aos seus, mas extrapola limites da hereditariedade por sua abundância. Sim, há mais vida na saudade do que se pode imaginar, e o presente tem raízes que muita gente não conhece. Mas eu não esqueço.

Ancestrais

Quantas gerações dormem dentro de
um sonho?
Seus bisavós, seus avós, seus pais?
Às vezes são tantas que você nem
desperta mais,
Mas um sonho não é um bastão de
frustrações hereditárias.
Por mais que existam opiniões contrárias,
Basta que uma pessoa seja a favor de fazê-lo
acontecer:
Sim, você.

Pensa nesta vida como se fosse uma viagem.
Nossos ancestrais nos deram a passagem,
Mas ninguém pode viajar no lugar de alguém.

Quem nunca escutou frases como:
"Sempre foi assim na nossa família",
"Isso não está no nosso sangue, não é
pra gente",
"Nem tente, porque ser realizado não é
nossa realidade",
"Tenha vontade, mas tenha mais limites"?

Eu diria: respeite essas opiniões,
  mas não acredite.

São escolhas, existe uma diferença
Entre quem diz que sabe o caminho
E quem caminha.
Repito, respeite: cada um fez o que pôde
Com as possibilidades que tinha.

Por isso, não existe culpa.
O que nos deixa estagnados
É viver olhando para trás procurando culpados.
Aquele que é capaz de olhar o passado
E agradecer, já entendeu:
Por mais parecidos que sejam os caminhos,
Cada um tem que fazer o seu.

Os que vieram primeiro nos deram a chance
De aprender até com os erros.
Honrar as antigas gerações
É cortar o cordão umbilical das frustrações.

Isso é dar à luz a própria vida,
É renascer para a liberdade.
Assumir a responsabilidade do seu sonho
É escolher sua realidade.

Semente

Toda filha que se torna mãe
Planta uma semente do passado,
Pois o que se colhe no presente
É fruto de um legado.

Muitas gerações se encontram na gente
Para que hoje ninguém ande só.
Daquela mesma semente
Nasceu a filha que virou mãe,
Nasceu a mãe que se tornou avó.

Por isso algumas famílias
São como um jardim de girassóis
Iluminado pelo mesmo sol: a mãe.

É ela a fonte de vida, calor,
Luminosidade e energia,
De colos, abraços, alegrias,
De conselhos que só bem mais tarde
A gente entenderia.

E quando chega o momento
De o nosso sol se despedir
Para não perdermos todo brilho esperando
A saudosa manhã ensolarada se repetir,
Temos que buscar a nossa luz,

Nos voltando uns aos outros,
Para que, através de cada sorriso guardado,
Toda aquela luminosidade acumulada
Pelo privilégio de anos contemplando
    o nosso sol
Nos faça voltar a sorrir.

Eu sei que a vida não segue lógica estabelecida,
Às vezes é o sol quem perde uma de suas
    flores preferidas
Antes de se pôr.
Mas como ele já está lá em cima,
Sua semente não morreu,
Virou flor, sentiu saudades e se reaproximou
    do seu calor.

As raízes mais profundas trazem
A certeza de que não nos perderemos,
Nos renovaremos a partir de quem já fomos.
Por isso é preciso lembrar de onde viemos
Para chegar até quem somos.

Toda mãe é,
Ao mesmo tempo,
Flor e semente.
Um girassol é para sempre:
Ou nasce com o sol,
Ou renasce na gente.

O que ninguém escuta

Quando você é diferente
Em um mundo onde normal
É todo mundo que tenta se repetir,
Tentar imitar seria se limitar.

Geralmente, quem não nos entende
Tende a nos diminuir.
Por isso, não se encaixar nos padrões
É aprender a ser maior
Do que as próprias limitações.

Eu tenho o exemplo de uma mãe que era a
 única pessoa que tentava entender o filho.
Ele tinha inventado uma linguagem própria,
 totalmente fora do convencional.
Ela entendeu que ele não falava sozinho,
 como parecia.
A questão é que, por ser diferente, ninguém
 o ouvia.
Por isso, a mãe cansou de ouvir: "Esse
 menino é normal?"
"Falaram na sala sobre um passeio da turma,
 mas ele não estava atento."
"Eu ia convidar seu filho para a festa do meu,
 mas acabei esquecendo."

Mas a mãe jamais vai esquecer os momentos
de um quase isolamento:
Ela e o filho, acompanhados apenas pelo
julgamento.
Inclusive de olhares atravessados
Que, quando confrontados, fingiam que não
os viam.

Mas o suposto silêncio do filho não fez com
que sua mãe se calasse.
Mesmo não compreendendo totalmente a
forma de expressão que seu menino usava,
Ela não o excluiria. Por isso insistia em gritar
a voz do filho para o mundo, quando
perguntava:
"Sabe por que ser diferente não é um defeito
que se possa corrigir?
Simplesmente porque não é um defeito, ao
contrário do que muita gente pensa."

É isto: o problema está em quem acha que a
diferença é um problema.

Essa mãe nunca ouviu um "eu te amo"
Na linguagem que nos foi ensinada,
Mas quando se colocou no lugar do filho
Entendeu até os silêncios
E nunca se sentiu tão amada.

Todo padrão é uma prisão

Todo padrão é uma prisão
E personalidade não é jogo de imitação,
Onde um líder manda em tudo
E, do nada, a manada obedece.
Você não precisa ser igual
A quem nem se parece.

Nem toda receita
É tão perfeita quanto se diz.
Nem toda fórmula da felicidade
Foi feita para te fazer feliz.
O normal é, se todos estão fazendo,
Vir logo a cobrança dizendo:
"Como é que eu ainda não fiz?"

O motivo "porque todo mundo já fez"
Já me desmotiva a fazer.

Todo padrão é uma prisão,
É só uma opinião na qual a maioria se baseia.
Essa consciência nos torna maiores
Do que qualquer insatisfação alheia.

É preciso perceber
Que não se encaixar
Abre infinitas possibilidades
Por existir apenas você.

Todo padrão é uma prisão,
E quando a sensação de frustração for
    tão grande
Que você não caiba nas expectativas,
Exigências, conselhos, lembre:

A sinceridade é uma janela
Com vista para o espelho.
Se sua imagem não reflete a sua verdade,
Do que você precisa se libertar
Antes de encarar sua liberdade?

Você não precisa ser igual a quem nem se parece.

@allandiascastro

Felicidade

Fazer o caminho do outro
Para buscar a própria felicidade
É chegar, no máximo,
A ser feliz pela metade.

Porque ninguém vai ser melhor do que a gente
Se o objetivo for ser quem a gente realmente é.
Repara: quem nos inspira geralmente leva além;
Quem nos compara quer nos parar no limite
    de alguém.

Comparar entre a família
É esperar que felicidade seja hereditária.
Insistir que todos sejam os mesmos
Acaba levando para a direção contrária.

Quem tem irmãos sabe que a comparação
É o tipo de competição onde todos perdem,
Porque é como querer que os filhos herdem
As mesmas afinidades.
Quem nunca ouviu: "Seu irmão tem dinheiro,
Ele venceu na vida de verdade"?

Mas a quantidade de grana
Tem valor diferente conforme a personalidade,
Por isso não dá para procurar na carteira do outro
A sua identidade.

Dizem também "Siga os passos da sua irmã,
Ela tem os pés no chão,
Você vive com a cabeça na Lua".
Mas, se a felicidade tivesse fórmula,
Cada um teria que descobrir a sua.

Não dá para esperar que as pessoas sejam
    as mesmas
Porque foram criadas pelas mesmas pessoas.

Minha família passou a me inspirar
Quando a gente entendeu
Que nossa força
Está na individualidade de cada um.
Isso é ter o respeito em comum.

E todos ganham, sem competição.
Comparar é dizer que um é.
Inspirar é saber que os dois serão,
E cada um vai ser feliz do seu jeito.

Você não precisa se comparar
Para corresponder às expectativas de ninguém.
Supere as próprias
E deixe que a sua felicidade
Inspire alguém.

Relógios de sol

A melhor maneira de evitar o que nos atrasa
É passar mais tempo com quem nos tira a pressa.

A gente tem essa ideia
De que o melhor está lá na frente
Ou ficou no passado,
E desaprende a olhar para o lado.

Sabe aquela eterna sensação de estar sempre atrasado?
Talvez a causa seja essa corrida por velocidade.
Por isso, as pessoas que nos tiram a pressa
Habitam a pausa
Entre a ansiedade e a saudade.

As pessoas que nos tiram a pressa
Respeitam nosso tempo,
E, com a tranquilidade de quem sabe
Que tudo passa na vida,
Apenas com sua presença nos dizem: viva.

As pessoas que nos tiram a pressa
Habitam a pausa
Entre a antecipação e a retrospectiva.

Elas sabem que é preciso estar presente
Para enxergar o que só o coração viu.
Por isso existem pausas
Que preenchem nossos vazios.

Tentar explicar a sorte de conviver
Com pessoas que parecem iluminadas
É como se a gente estivesse vivendo
Segundo o princípio do relógio de sol,
Que só registra as horas em que a luz
    está brilhando.

Portanto, com pessoas que nos tiram a pressa,
A gente vive o "quando"
Nessa relação entre tempo e espaço.
É exatamente aí que você gostaria de estar
A cada passo.

Nem atrasando nem antecipando.
Com elas, cada segundo é uma chance
Porque a hora é essa.
Então marque no seu relógio de sol,
De vez em quando,
Para se encontrar nas pausas
Com quem lhe tira a pressa.

Filhos

Se você estiver planejando ter um filho,
Saiba que a imperfeição dos planos
É certeza para quem não se ilude.
Mas, se o desejo é o pai da coragem,
A sorte é filha da atitude.

Nada vai ser como planejado,
E isso não significa que vai dar tudo errado.
Pelo contrário, a vida surpreende
Quem se abre ao inesperado.

Muitas vezes você vai tentar fazer seu filho
    parar de chorar
E pode acabar chorando junto. Mas vai passar.
Você vai querer que ele dê o primeiro passo,
Depois torcer para que o tempo não corra.
Ele vai cair, levantar, vocês vão cair na risada
E se divertir muito em tardes
Bem mais despretensiosas do que planejadas.

E quando parecer não ter ideia do que está fazendo,
Lembre que o amor não cabe nas certezas
E são as boas surpresas que eternizam os
    momentos.
Você vai ouvir tanto "eu te amo"
De quem não fala nem uma palavra
Que vai acabar aprendendo a traduzir sentimentos.

Nem tudo se explica,
Mas a gente sente
E aqui o sentimento chegou antes.
Não dava para saber como seria,
Mas a gente sabia que queria
E sentia que era o bastante.

Ninguém de fora pode interferir na decisão
    de ter filhos ou não,
Mas se um dia você pensar em encarar
    o desafio de não saber o que vem
    pela frente,
Troque a perfeição dos planos pela beleza
    dos momentos surpreendentes.

Com uma criança no colo, cada segundo
    é um convite aceito pela vida.
Como se um grito de celebração saísse
    do peito em silêncio
E dissesse através daquele sorriso que
    acompanha as boas surpresas: Viva!
Sim, o amor acontece além das nossas
    expectativas.

Rede de proteção

A relação que eu tive com meus pais
Me ensinou que medo e respeito
São coisas diferentes.
A gente não precisa ser temido
Para ser respeitado. Pelo contrário.
Para que a gente se respeite,
Às vezes basta ter sido amado.

As pessoas que me respeitavam
São as que eu ainda admiro.
E não as que gritavam,
Batiam ou faziam ameaça.
É pelo exemplo que eu me inspiro.
Por isso, quero ser um pai que diga o
    que fazer,
Mas que, além de dizer, também faça.
Mais do que falar "abrace seus filhos",
Eu sugiro: seja quem abraça.

A gente não ensina só o que aprendeu,
Mas também o que gostaria de ter sido ensinado.
É olho no olho que se mostra o "eu estou
   do seu lado".
O medo afasta, o respeito aproxima.
Não confunda educar
Com enxergar um olhar amedrontado aí
   de cima.

O respeito é como se fosse uma rede de proteção
Que seu filho leva para o futuro.
Ele vai para o mundo trocando a insegurança
   do "você vai cair"
Pela confiança do "vai, que se cair eu seguro".

Quanto mais formos respeitados,
Menos motivos teremos para temer.
Os filhos que receberam respeito
Serão os pais
Que não têm medo de oferecer.

Para não viver de passado

Se a criança que você foi um dia viesse te visitar, será que ela se reconheceria?

@allandiascastro

Noites de febre

As noites de febre revelam os meus maiores medos. Aqueles que escondo até de mim mesmo. Mas não tem jeito, as noites de febre duram dias, em algum momento a sinceridade me alcança: será que minha filha está com algo grave? Será que ela está sentindo dor? Será que o remédio terá algum efeito inesperado? Será que eu deveria levá-la ao hospital? Essas e outras perguntas, principalmente nas situações em que a insegurança nos deixa muito ansiosos, revelam a verdadeira grande dúvida: será que, mesmo sem saber a maioria das respostas, eu ainda sou um bom pai?

As noites de febre são longas e, quando trazem o cansaço característico que leva as crianças mais cedo para a cama, dão a oportunidade para pensarmos em um monte de coisas que, normalmente, não seriam nem mesmo cogitadas. Além do tempo sobrando, lá está também o silêncio. Enfim, o tão esperado momento em que tempo e silêncio se encontram. Porém, nessas circunstâncias, trazem um desconforto infinitamente maior do que os já saudosos gritos das brincadeiras, da correria, da agitação pela casa e daquela energia que parece infinita até o último segundo antes da vitória do sono nos dias normais.

Ah, e que saudade dos dias normais. Nós nos acostumamos com a simplicidade do cotidiano e deixamos de ver o encanto do simples porque tivemos o privilégio de vê-lo virar rotina. Você já se pegou mentalizando, ou até mesmo rezando, não para pedir por um milagre, mas para que tudo apenas voltasse ao habitual? Eu, já. Muitas vezes, só notamos o valor do trivial quando pensamos que podemos perder o que antes nem percebíamos que tínhamos sempre à disposição. As noites de febre também nos atentam para a mágica dos momentos comuns e vêm para lembrar que os dias bons são a maioria. Mantendo a calma e a atenção, sem ansiedade, retornaremos a eles.

Eu sempre acreditei que o mar tem poder de cura. Assim que as noites de febre aqui em casa dão a trégua esperada, a primeira coisa que penso é: precisamos dar um mergulho! Essa certeza da água salgada como remédio vem da infância. A primeira vez que vi o mar eu tinha 3 anos, quando eu e minha família fomos passar uma semana no litoral do Rio Grande do Sul. Minha mãe conta que me aproximei aos poucos, ainda com receio, preferindo olhar as ondas de longe. No último dia, foi o medo que ficou na areia. Me apaixonei de tal forma por aquela imensidão que não queria voltar para casa. Mas voltamos, e esse fascínio me acompanhou. Nessa época, uma ida à praia era algo que exigia muito planejamento e acontecia, com sorte, apenas uma vez por ano em nossa viagem de férias.

Depois disso, muitos meses se passaram até que o anúncio de recesso no trabalho dos meus pais chegasse novamente e, junto com ele, a confirmação da nossa próxima odisseia praiana. Eu estava a poucos dias de rever o mar. Dessa vez partiríamos da cidade de Passo Fundo, no interior do Rio Grande do Sul, até Camboriú, em Santa Catarina. Meus pais, quatro filhos, muitas malas, um fusca, um saco de batatas amarrado ao bagageiro do teto (minha mãe tinha esse estranho hábito de levar comida de casa) e mais de 500 quilômetros pela frente. Sim, ver o mar de perto era algo distante para mim.

    Na noite anterior à viagem, fui tomado por uma felicidade imensa e, ironicamente, por uma febre ainda maior. Oscilando entre 38 e 39 graus no termômetro, atravessamos a madrugada. Sem saber muito bem o que fazer, meu pai me levou ao pediatra logo cedo pedindo orientação. O médico recomendou que me observassem até que a virose, ou seja lá o que a febre estava prenunciando, se manifestasse. Depois de receitar alguns medicamentos, disparou: sigam viagem, mas o melhor seria que o Allan evitasse banho de mar. Esse conselho, para uma criança de 4 anos que havia aguardado tanto tempo para entrar de cabeça nas ondas, obviamente não favoreceu o meu humor durante as horas de estrada. O meu choro e as vozes das minhas irmãs se intercalavam com a mesma pergunta "falta muito?" e encontraram um lugar dentro do carro lotado para nos acompanhar por grande parte do trajeto. Quando chegamos ao esperado destino, perdemos algum tempo descarregando o nosso fusquinha, mas, na sequência, é claro que o grito convocando para o primeiro compromisso das férias não poderia ser outro: vamos ver o mar! Fomos todos. Eu, inconformado, fiquei mais uma vez apenas olhando as ondas de longe. Meu começo de temporada foi desta maneira: debaixo do guarda-sol, brabo, de casaco, sem saber se meu suor era da febre baixando ou da quantidade de roupas que minha mãe me fez usar querendo me proteger de algo que nem sabíamos ainda o que era.

    E assim se repetiu no dia seguinte, febre alta e uma ansiedade me consumindo cada vez mais por não poder simplesmente molhar os pés no mar. Eu tinha um limite na faixa de areia do qual me aproximava, acenava para minhas irmãs se divertindo na água e então voltava ao meu posto na sombra, ou para o apartamento com alguém que já estivesse cansado de praia. Ter uma barreira imaginária me impedindo de alcançar o que tanto queria com certeza estava me deixando mais doente do que qualquer possível virose.

Na segunda noite de praia e terceira de febre, minha tia, que estava passando uns dias na cidade ao lado, veio nos visitar. Percebendo minha inquietação, sugeriu que minha mãe me deixasse dar um mergulho rápido na manhã seguinte, apenas para matar a vontade de água salgada. O termômetro seguiu nos mesmos 38, 39 graus madrugada adentro, mas o novo dia amanheceu com uma esperança renovadora dentro de mim: meus pais toparam me deixar dar apenas um mergulho rápido. É incrível como a lembrança de estar na praia naquele dia ainda é nítida para mim. Chegamos cedo, havia poucas pessoas na orla. Nós deixamos nossas coisas nas cadeiras alugadas e eu já fui tirando os casacos até sentir o sol me abraçar. A partir daí, só lembro de abrir um sorriso e correr cada vez mais rápido. Fui passando pelas pessoas na areia, enxerguei minhas irmãs também sorrindo ao meu lado e, empolgadas com minha emoção, gritavam: "Vai, Allanzinho, está chegando!"

Segui minha corrida, agora rindo alto, venci aquela barreira imaginária gerada pelo misto de ansiedade e insegurança, e digo com sinceridade que a sensação de ultrapassar o limite estabelecido pelo medo para chegar aonde eu queria me emociona até hoje. Frio na barriga, coração acelerado, corpo arrepiado submergindo a cada passo, até, enfim, lavar a alma. Agora, eu estava presente. Aquele banho de mar foi curativo, libertador e mais eficaz do que qualquer remédio. Quando minha mãe me abraçou com uma toalha para voltarmos à sombra, já percebeu que a água salgada havia levado embora toda a febre. Os dias que se seguiram foram de alívio, mergulhos e felicidade plena.

É incrível como até hoje revisito aquela criança ansiosa que olhava as ondas de longe, principalmente nas noites de febre da minha filha. Mas agora, por ter passado correndo pelos seus medos, aquele menino de casaco na praia, brabo, suando sem saber direito o porquê, está mais calmo e tem muito a ensinar a esse pai que me tornei. Ele é quem me relembra: "Allan, não ter todas as respostas não te faz um pai ruim; pelo contrário, te aproxima da criança que nós fomos. Pensando assim, você vai lembrar que já passou por isso, então respira e não deixa a ansiedade nos tirar nem mais um mergulho sequer."

Aquele gurizinho que atravessava cidades e mais cidades dentro de um fusca para botar os pés na areia hoje vai à praia caminhando. Sim, aquela paixão atravessou décadas e mais décadas e me trouxe para viver perto do mar. O que antes era apenas uma vez por ano se tornou corriqueiro. Mas novamente aquela criança que não queria mais sair da água quando perdeu o medo vem ao pensamento, para não me deixar esquecer: "Allan, lembra das noites de febre. Elas chegam para darmos valor à simplicidade alcançada sem precisarmos perdê-la. Não é porque as coisas que a gente mais queria agora estão ao alcance que elas deixaram de ter relevância." Foi esse aprendizado que me soprou um trecho de um poema, dizendo que "privilégio também é o simples bem vivido".

Sigo tentando ensinar à minha filha o que aprendo com aquele menino de 4 anos que abraçou o sol e curou sua febre quando se deixou levar pelo frio na barriga que a emoção lhe trazia. Jamais terei todas as respostas, mas já entendi que, às vezes, nossas maiores preocupações nos levam apenas até uma barreira imaginária. Se minha filha entender que seu sorriso vai virar uma risada libertadora assim que ela atravessar os limites que o medo do desconhecido lhe impuser, já poderei me sentar à sombra, agora, sem a menor ansiedade. Aos poucos, irei dividindo com ela, através das coisas que escrevo, dos exemplos pela convivência e das nossas futuras trocas, tudo que puder facilitar sua chegada até os mares que ela escolher pela vida. Simples assim. E quando chegarem as situações em que não soubermos o que fazer, daremos as mãos àquele menino que ainda vive em mim e lhe faremos um convite: vamos dar um mergulho?

Eu e Serena falando com o mar.

Se você entender que a vida não é uma pena, já encontrou sua liberdade.

@allandiascastro

A criança que eu fui um dia

Se a criança que você foi um dia viesse te visitar,
Será que ela se reconheceria?

A criança que eu fui um dia
Hoje veio me visitar,
Mas não se encontrou em mim,
Não se reconheceu.

A criança que eu fui um dia
Hoje veio me visitar.
Em qual mentira por aí
A gente se perdeu?

Desaprendeu a sorrir, foi?
Desaprendeu a sorrir, é?
Quem te ensinou a desistir
De ser o que você quiser?

A criança que eu fui um dia mora dentro deste adulto que me tornei.
Na mesma gaveta onde guardo os "para de sonhar", "leva a vida a sério", "é ridículo tentar de novo".

Ela representa tudo que eu quis ser um dia,
mas parei de sonhar, levei a vida a sério,
achei que fosse ridículo tentar de novo.
Sim, exatamente como me disseram
para fazer.
Mas, ao contrário de mim, ela nunca desiste.
Ela insiste em me fazer sorrir.
Essa criança não marcou hora na minha
agenda lotada de desculpas, não pediu
licença.
Simplesmente abriu a porta e veio me visitar.
E como quem fala "Ei, você não está mais
de castigo",
Ela me olhou e disse: "Lembra disso quando
a sua filha vier e fizer a pergunta mais
séria que você vai ouvir: 'Pai, você quer
brincar comigo?'"
Hoje, com minha filha no colo, a gente sorri
enquanto o tempo passa.
Eu já entendi que levar a vida a sério não
significa perder a graça.

O coração primeiro

O que eu gostaria de ensinar para minha filha
É que ela se permita aprender o que não
   se ensina.

Aprender o que não se ensina
É deixar que a sensibilidade fale mais alto
Do que qualquer previsão
Para fugir de uma vida previsível.

É ver sentido no que dizem impossível
Por encontrar nos seus sentimentos
A própria razão.
Aprender o que não se ensina
É dar ouvidos a si mesma
Por se permitir ouvir a emoção.

No meu caso, literalmente. Minha filha já me
   ensinou, antes de nascer,
Que o primeiro órgão que se desenvolve no
   ser humano é o coração.
Sim, eu ouvi o coração primeiro.
E isso fez todo o sentido.
Assim, eu aprendi a dizer "sim"
Para uma nova versão de mim mesmo: o pai.

Eu que passei uma vida lutando contra o "não"
Precisei entender que algumas fases chegam
   ao fim
Para fazer as pazes com minha própria
   aceitação.
Aprender o que não se ensina,
Mais do que dizer, também é aceitar o sim,
Por perceber o que é medo
E o que é verdadeiro.

Como?
Me permitindo dar ouvidos primeiro ao coração
Para depois ouvir o coração primeiro.

Livre-se

Aquele que mais tentou fazer a vida valer a pena
Foi o que menos viveu.
Mas quando entendeu que estar vivo
Não é uma pena, é um privilégio,
A vida já valeu.

Eu falo da grandeza dos pequenos gestos,
Da beleza dos encontros que deixam mais perto
As pessoas que amamos,
De alcançar a calma para passar caminhando
Pelo tempo que passa voando,
De conseguir a força de estar em paz consigo
Para também fortalecer os amigos.

Sim, o privilégio também é o simples bem vivido.

A gente se prende ao "será" e esquece de ser.
Será que amanhã vai ser melhor?
Será que os outros vão me entender?
Todos os dias seriam bons se a gente não os comparasse
E o barulho de fora seria mais baixo se nosso ego se calasse.

Livre-se do "será?" para fazer o que pode ser feito.
Esperar que tudo seja perfeito
Para finalmente ser feliz

É como se estar vivo não bastasse.
A falta de percepção de que tudo passa
É o que nos faz não valorizar os momentos
Que mais gostaríamos que durassem.

Nenhum problema é maior do que a certeza
De que tudo um dia acaba,
Inclusive os problemas e também as certezas.
Nesse meio do caminho, a beleza está em perceber
Que você é o maior responsável por criar,
Mas também por se curar de suas próprias feridas.

Assumir esse controle é entender
Que ninguém pode ter o poder de te ferir,
Principalmente quem confunde estar vivo
Com cuidar da sua vida,
Porque, na verdade,
São eles que gostariam de cuidado.

Então vamos assim,
Sem culpas nem culpados,
Livres do peso do passado,
Atentos aos privilégios
Para encarar com leveza
As nossas responsabilidades.
Livre-se!
Se você entender que a vida não é uma pena,
Já encontrou sua liberdade.

Coragem

A realidade que a gente escolhe viver é um sonho:
Ou é o nosso, ou a gente está vivendo o de alguém.
Enquanto você não tomar a decisão
De só perder o sono pelos seus sonhos,
As velhas desculpas se repetirão no futuro,
E isso é ter um passado pela frente.

Porque a vida é o que passa
Enquanto a gente espera a coragem
De parar de levar a vida
Que os outros esperam da gente.

É incrível como é fácil adiar
Nossos sentimentos mais sinceros
E botar a nossa vida em modo de espera.
Eu quero, mas adio mais cinco minutos,
    cinco anos,
Mais uma chance que não se recupera.

As viagens se perdem pelo caminho,
Os talentos viram um emprego que a gente
    não gosta,
As ligações que faríamos para aquela
    pessoa especial
Acabam encontrando no medo a resposta,
Que é não. Não aceitou? Não, nem tentou.

Entender que esse silêncio
Não precisa falar por você o resto da vida
Nem perder mais tempo lamentando
Por oportunidades perdidas
É perceber a diferença entre acordar
    e despertar.

Mais cinco minutos sem se adiar
Viram cinco minutos a menos
De uma realidade que nos faz reclamar,
Que viram cinco anos a mais
Fazendo o que a gente ama,
Estando com quem ama a gente.

Ter coragem para tirar sua vida do modo
    de espera
É trocar uma desculpa por uma iniciativa,
É fazer o que te motiva, o que te realiza
Ou simplesmente o que você gosta.
Esqueça a pergunta
"O que os outros esperam de mim?"
Escolha sua liberdade como resposta.

Sede em alto-mar

Não é conformismo,
É contentamento.
É só isto que eu peço:
Que tudo o que mais quero
Não me impeça de perceber
O que já tenho no momento.

A gente vive num mundo de muita opção
E pouca escolha.
É preciso romper essa bolha
De muito coração e poucos amores,
Raros amigos e milhares de seguidores,
Tantos canais e nada interessante.
Quanto mais é preciso para percebermos
Que ter tudo nunca será o bastante?

O acúmulo não vai pro túmulo.

Para se livrar dessa sensação
De estar morrendo de sede em alto-mar
É preciso sentir a satisfação
Que a gente só aprendeu a dar.

Partir do que se tem
É o que nos leva além.

Queira, mas sem esquecer da alegria
De ter algo que já quis um dia.
Quando nosso desejo de evoluir
Vem de dentro,
A gente percebe que abundância
Não vem de fora,
É transbordamento.

Conquistas não expiram, inspiram.
Perceba tudo que já conseguiu até aqui
E viva esse sentimento.

Não é conformismo,
É contentamento.

A batalha de cada um

Nestes tempos em que
Quase ninguém está bem
Mas a maioria está tentando,
Se não puder ajudar,
Mas conseguir não julgar,
Você já está ajudando.

Enquanto estiverem todos contra todos,
A gente perde tudo que tem em comum.
Lembra que todo mundo ganha
Respeitando a batalha de cada um.

Toda pessoa que a gente encontra
Tem uma história por trás das histórias que
    nos conta,
Sonhos interrompidos, medos escondidos,
Mas coragens que nos deixariam
    surpreendidos
Pela força descoberta quando tudo parecia
    perdido.

A gente não sabe o esforço que exige
Aquele sorriso de bom dia
E nem mesmo a dor revelada
Em um gesto de antipatia.
A gente quer ter atenção
Mas ignora a solidão
De quem não aprendeu a ser companhia.
A gente julga o que o outro diz ou faz,
Mas quem disse que no seu lugar não faria?

É o momento de trocar o cada um por si
Por eu estou aqui e você não está sozinho.
E quando tudo isso passar
E a gente se encontrar pelo caminho,
Que eu possa te dar um abraço
Para comemorarmos a vida.

Teremos juntos outra história para contar
De mais uma batalha vencida.

Abrigo e cuidado

Quando a gente começa a aprender a se
  priorizar
E aquele sentimento de culpa vem nos
  visitar,
É preciso lembrar de manter a porta fechada.
Você é o seu lar, se habite.
Só você é responsável pelo limite
Que garante a tranquilidade da sua morada.

Desagradar não significa deixar de amar:
É ter se permitido ser sincera consigo
Mantendo o respeito pelo outro
Por ter conseguido se respeitar
Em primeiro lugar.

Fingir que tem um coração de pedra
Não te faz a mais durona,
E não é justo te ver tentando salvar o mundo
Enquanto o seu desmorona.
Toda vez que você disser para alguém:
"Se cuida", se escute.
O melhor conselho é o que se dá para o espelho:
Lute por si, cuide de si.

Essa é a mudança que fez tudo ter mudado,
A lembrança de que se eu quisesse ajudar alguém
Seria por mim que deveria ter começado.

Pessoas vêm e vão na nossa vida,
Você é quem fica.
Então, fique do seu lado.
Sinta-se completa por ter se habitado,
Para quando receber a visita que escolher,
Ter tanto por si que possa oferecer:
Abrigo e cuidado.

O tempo
que afasta
é o mesmo
que cura

Ela descobriu que tristeza é trecho, não é destino. E atravessou.

@allandiascastro

Queda de braço

Quem mais precisa provar que é forte para alguém geralmente é quem menos acredita na força que tem.

Esse foi o raciocínio que o pai tentou passar para o filho na história da queda de braço.

Na primeira vez em que eles fizeram essa queda de braço literal, o filho era bem criança, e o pai percebeu na hora a importância que o pequeno estava dando para aquela brincadeira.

"Era um ginásio enorme, o pai era maior ainda, quase um gigante, e havia uma multidão acompanhando e vibrando muito." Pelo menos foi essa a imagem que o filho teve daquela pequena mesa no meio da sala em que eles abriram um espaço, com a família em volta achando graça.

E aconteceu a mágica naquele dia: depois de uma batalha surreal de quase uma hora – ou 30 segundos, conforme insiste a realidade –, o filho ganhou do pai. É claro que ele havia deixado só para ter o prazer de ver aquela criança pulando pela sala, gritando que, se ganhou do pai, agora conseguiria qualquer coisa, já que era a criança mais forte do mundo.

Os dois haviam vencido naquele dia, porque ninguém competia.

Na adolescência, a queda de braço já não era tão simples. Nem com o pai, nem com o mundo. Ele estava indo contra tudo o que o pai oferecia ou acreditava. Sentia a necessidade de provar que estava tudo errado e que aquilo que queriam para ele não era o que ele queria, e nunca acreditaria em nenhuma daquelas hereditárias verdades absolutas.

Em um dia raro em que o pai conseguiu fazer com que o filho desfranzisse um pouco a testa e entrasse na brincadeira (apaziguando seu semblante que refletia nitidamente os conflitos internos), eles fizeram de novo a queda de braço. Só que, dessa vez, o pai não deixou que o filho ganhasse.

Na vida real, o caminho até o sonho, para que não seja uma eterna ilusão, tem que passar pela realidade.

Aquela derrota acabou resumindo o modo como o filho se sentia em relação ao que o pai queria para seu futuro. Ele falou que, mesmo sendo mais fraco, um dia iria provar que o caminho do pai era um erro e iria contra o que ele não queria até o fim. Iria provar que também podia ser forte e buscar a felicidade sozinho.

Ao ouvir essas declarações, o pai falou: "Você não precisa provar para mim que é forte nem que está feliz. Aprenda a parar de ir contra o que não quer para ir a favor do que sempre quis. Aí, sim, além da minha força desde sempre, você vai poder começar a contar com a sua. É a sua força que vai transformar a realidade que eu enxergo para você no seu próprio sonho realizado."

Quando entendesse isso, o filho ganharia, embora parecesse que havia perdido naquele dia.

Com o tempo, amadurecendo, o filho entenderia que ir na direção do que ele sonhava teria que partir da própria coragem e que não poderia culpar ninguém. Esse primeiro passo seria individual, mas uma vez no próprio caminho, poderia contar com a força do pai e, portanto, não estaria sozinho.

A vida acabou afastando os dois fisicamente por milhares de quilômetros, mas nunca daquele vínculo que eles criaram.

Em um dos muitos encontros que tiveram ao longo dos anos, resolveram relembrar a antiga brincadeira da queda de braço. Àquela altura, o pai já era avô. Ficou claro naquela disputa que o filho ganharia facilmente, mas ele teve o impulso de não demonstrar a fraqueza física do pai pela idade avançada. Resolveu ir cedendo, aos poucos, até que, claro, o pai percebeu. Aí aquele duelo existencial representado por duas mãos unidas em sentidos opostos passou a ser um cumprimento em que ambos, agora sendo uma só força que apontava para a mesma direção, celebraram com lágrimas nos olhos a cumplicidade que permeou a parceria estabelecida – desde a infância, para sempre.

Nesse dia, nem o pai ganhou nem o filho perdeu, mas este fez questão de agradecer porque finalmente entendeu: quem é mais forte do que as próprias fraquezas já venceu.

Toda vez que essa história é vivida, mesmo que por outros personagens, o tempo leva adiante o entendimento de que, para acabar com a queda de braço contra o mundo (o seu mundo), chega um momento em que é preciso parar de ir contra – inclusive contra si mesmo. Assim, será necessária a sua força a favor do que acredita, para poder, finalmente, reconhecer a força dos que sempre acreditaram em você.

Hoje o filho sabe: alguns aprendizados são maiores do que a saudade.

Labirinto

Sempre vai ter alguém insistindo
Para você se tornar quem não é
Ou preferindo que volte a ser quem era.
Não dá para perder o seu tempo
Esperando ser quem o outro espera.
É simples, e é certo:
Quanto maior a insatisfação consigo mesmo,
Mais expectativa se bota em quem está por perto.

Você já se sentiu andando em círculos
Tentando chegar a um modelo de perfeição?
É como entrar num labirinto procurando
   aprovação.
Você está perseguindo uma ilusão
Que tem como ponto de partida e chegada
Sempre um "não".

Nessa interminável tentativa de agradar,
A cada linha de chegada,
Você encontra um "quase lá":
Quase ideal
Quase a mesma aparência
Quase igual à referência
Que está completamente fora
Do que você está buscando agora.

Seguindo os objetivos
Que os outros tinham para mim,
Por mais longe que eu fosse,
Essa espiral jamais teria um fim.

Repara que quem está fora do seu caminho
Tem sempre um atalho para oferecer
De algum lugar aonde você não quer chegar,
De algum exemplo de quem não quer ser.

Quem não segue esse caminho estabelecido
Vai acabar sendo seguido
Porque criou o seu.
Você não está onde o outro esperava?
Talvez ele tenha se perdido
E não percebeu.

A vida é sua.
Procure a saída que traga a sensação
De que se encontrou.
Você está satisfeito?
Então, chegou.

Os empregos que não consegui

Nem toda perda é uma derrota.
Algumas vêm até para somar.
Se o caminho que lhe deram
Para vencer na vida
Não estiver na sua rota,
Até os atalhos vão te atrasar.

Quando parei de competir pelo que nunca quis,
Agradeci às vagas que não ocupei,
Aos concursos que não passei
E aos empregos que não consegui.

Às vezes a vida tem planos maiores que os nossos.
Mais do que fazer o melhor que posso,
Eu precisei aprender a dizer "não"
Para começar a me ouvir.

Se eu ficasse para sempre
Tentando corresponder à realidade dos outros
Sobre o que é vencer na vida,
Jamais me realizaria
Com os sonhos que já vivi.

Porque o estranho é que,
Mesmo ganhando esse jogo,
A insatisfação continua.

É que a competição não nos deixa ver
Que ninguém perde uma oportunidade
Que não era sua.

Estar satisfeito com o que você oferece ao mundo
Traz uma realização que não há hierarquia
   que meça.
Por isso esse papo de vencer na vida
É como um quebra-cabeça faltando uma peça.
Cada um quer seu espaço, mas nem todo
   mundo se encaixa:
Enquanto uns vivem seguindo as instruções,
Outros buscam vida fora da caixa.

Não desista de se procurar.
No começo a gente se sente perdido,
Depois tudo faz sentido
Porque nossa verdade não se perdeu.
Sentimento é mapa:
Segue o seu.

Lembra que algumas perdas vêm para somar.
A gente não pode se perder nesse jogo
Tentando se encaixar.
Aquele que trocar a ideia dos outros
De vencer na vida por viver a sua
Vai ganhar.

Passo em falso

Quantas vezes é necessário repetir um erro
Até que se aprenda com ele?
Seria perfeito se a gente aprendesse sem repetição,
Mas, de tanto ter me repetido,
Estou aprendendo a buscar aperfeiçoamento,
E não a perfeição.

Difícil é lembrar disso naqueles dias
Em que não adianta fechar a janela
Nem culpar o mundo lá fora,
Porque o barulho é aqui dentro.

Lá está aquela cara no espelho,
Sem coragem de se encarar
Relembrando os julgamentos:
"Ele é assim mesmo, nunca vai mudar."

Cada queda parece endurecer o chão,
Mas é preciso começar levantando a cabeça.
Ninguém precisa ser um iluminado,
Mas requer coragem decidir sair da escuridão.

Corrigir um passo em falso
Começa por um pedido de desculpas sincero.
E recomeçar é a melhor maneira de perdoar
    a si mesmo.
Não porque alguém mandou mudar,
Mas porque sua vontade decidiu: eu quero.

Todo mundo tem um fracasso
No meio da sua história,
Isso é normal. O problema é quando o erro
Se torna um ponto final.

A chance que a gente pede
Para conseguir continuar vem um dia
   de cada vez.
O que você vai fazer
Depois de ter aprendido com o que fez?

Um dia de cada vez.
Um dia de cada vez.

Calma! No fim do dia de hoje
Está a sua linha de chegada.
Continue.
Um passo em falso pode mudar o caminho,
Mas nunca interromper a caminhada.

A ilha

Com o tempo, muita gente acaba perdendo
 nossa confiança.
O problema é quando isso é frequente
E nos faz perder a confiança na gente.

Parece que a solução é não acreditar
Em mais nada nem ninguém,
Só que esse isolamento nos inclui.
Blindar-se dos próprios sentimentos
É como se machucar para tentar se proteger.
Por mais distante que possa parecer,
Conseguir dar mais uma chance para a vida
Começa por não desistir de você.

Sabe aquele sentimento de estar vivendo
 em uma ilha?
Quanto mais isolado em nosso canto,
Nosso quarto, nosso escuro particular,
Melhor para continuar fingindo que não vê
O que não quer enxergar:
A gente está preso ao medo
De não aguentar outro não, outra decepção,
Outra perda, outro não,
Outra frustração, outro não.

Fechar-se em si mesmo em busca de proteção
É achar que está seguro por viver em
   uma prisão.
Mas a segurança vem da liberdade.
Não desistir de si mesmo
Também é olhar para a frente
E parar de olhar para a vida
Por trás dessas grades.

Não é porque lhe deram que elas são suas.
Está feliz na sua ilha? Continua.
É importante se visitar de vez em quando,
Mas que seja para continuar acreditando.

Parar de dizer "não" para si mesmo
Faz parte de se aceitar,
Então não se dê as mesmas respostas
Que se acostumou a escutar.

Chega na sua ilha, resgata sua verdade e volta
Sozinho, ou com alguém que não te deixe
   esquecer:
Conseguir dar mais uma chance para a vida
Começa por não desistir de você.

Da dor ao renascimento

Ter paz não significa não ter problemas.
Essa percepção faz com que nada vire dilema,
Porque nenhuma situação é maior do que a vida.
Toda cicatriz já foi ferida.

É o ciclo, os melhores momentos
Sempre sucedem os maus,
Confia. Quem busca o alívio
Tem que estar disposto a atravessar o caos.

Pensa que frustrações, inseguranças, fracassos,
O peso do passado atrasando nossos passos,
Perdas, medos e até segredos que vão nos calando
Se resolverão no caminho se você continuar
    caminhando.

Da dor até a cura, o que mais fere é a estagnação.
A gente desiste pouco antes dos melhores
    momentos,
Achando que evitar o sofrimento vai ser a solução.
A mudança é perceber que fugir de uma situação
É o que faz ela perseguir você.
Lembra disto: ignorar não significa resolver.

Uma vez eu ouvi, e acredito,
Que não há nada maior do que a dor do parto
Nem tão bonito.
Porque o auge da dor
Precede o alívio que traz à vida o amor.

Não desiste agora,
A vida vai sempre vencer.
A paz que a gente tanto procura
Encontra na dor sua cura
E nos faz renascer.

Passagem só de ida

Quando a gente fica preso ao arrependimento
E o peso desse sentimento nos deixa estagnados,
É preciso perceber que culpa não significa
   aprendizado.
Querer voltar no tempo por algo que fez
   ou deixou de fazer
Já é perder tempo outra vez, sem nem perceber.

Não repetir o que nos deixou arrependidos
É finalmente ter aprendido com aquela
   situação.
Ao se livrar da corrente da autopunição,
Você percebe que liberdade é abrir mão
Do medo de dizer adeus.

Quantos pensamentos, julgamentos
E até sentimentos que você carrega
Já não são mais seus?

Recomeçar nem sempre significa
Voltar ao ponto de partida.
Se a vida que você tem buscado
Estiver do outro lado da despedida,
É preciso atravessar o passado
Com passagem só de ida.

Aprendizado é fazer com que
O tempo nos ensine, e não nos atrase.
Dê as boas-vindas a uma nova fase,
Livre de culpa, mágoa, revolta.
Só vai!
Liberdade não tem volta.

Recomeçar nem sempre significa voltar ao ponto de partida.

@allandiascastro

A menina que colecionava conchas

Naqueles dias frios,
Em que só as memórias nos ajudam a olhar
   para a frente,
Visitar somente as boas lembranças
Pode ser a melhor maneira de viver o presente.

É como deixar ir o passado que nos persegue,
Escolhendo um sorriso que consegue
Atravessar o inverno aqui dentro
E trazer de volta a primavera.
A gente nunca vai ser o que era
E isso é evoluir, é crescer,
Mas não esquecer de quem fomos
É o melhor caminho para nos tornar
Quem queremos ser.

Há algum tempo, minha mãe contou
Que, quando criança, colecionava conchas
E hoje trazia apenas uma, bem guardada.
Perguntei: "Por que levar apenas essa concha,
Para ter um pedaço do passado escondido?"

Ela riu e falou que foi um presente recebido,
Que guarda para escutar "eu te amo" mais uma vez,
Mesmo distante, quase um ruído
Traduzido pelo barulho do mar,
Toda vez que o tempo soprar "saudade"
   em seu ouvido.

A menina que colecionava conchas
Deu lugar a uma mulher com boas lembranças.
Toda vez que o sorriso daquela criança se abriu,
Serviu para trazer um sopro de esperança
Nos dias em que o sol não saiu.

O mar segue no mesmo lugar,
Mas, ainda assim, não é o mesmo mar.
Ela, para não continuar no mesmo lugar, seguiu.
Ontem chorou, botou a concha no ouvido,
Ouviu "eu te amo", e hoje sorriu.

A menina que colecionava conchas me ensinou
Que a gente não precisa carregar no peito
A dor dos dias frios.

"Leve só o que te fez sorrir."
Assim, colecionar sorrisos
É trazer a primavera em si.

Travessia

Ela descobriu que tristeza é trecho,
Não é destino. E atravessou.
Não precisou perder o que já tinha,
Não foi pelo caminho da dor,
Por mais que já tenha doído tanto,
Ela optou por não sofrer outra vez,
E atravessou.

Com essa decisão, simplesmente se refez
De tudo que o mundo lhe fez.
Sozinha, ela atravessou
A dor que lhe atravessava.

Ela viu que nem todos a quem chamava de amigos
Mereciam a sua amizade,
Nem todos a quem oferecia um sorriso sincero
Retribuíam com sinceridade.
E tudo bem. De fato, a gente só oferece o que tem.
Foi cuidando de si que entendeu o que ela merece
E quem a merece.

Foi aos poucos que ela reaprendeu a sorrir
Dia após dia.
Não para agradar alguém
Ou para se encaixar na alegria
De quem mal conhecia.

Foi um sorriso sincero que se encontra
Ao fazer uma travessia:
O que eu realmente quero para minha vida
Está depois do que elimino.
Livre do passado, não é pela dor que me defino
E, ao não me definir, ela me libertou.

Foi isso que essa mulher
Que reaprendeu a sorrir me ensinou.
Ela descobriu que tristeza é trecho,
Não é destino. E atravessou.

Colecionando saudades até deixar

Eu levo seu sorriso guardado só para sorrir quando lembrar de você.

@allandiascastro

Carta para Serena
(Só leia quando eu já tiver deixado saudades)

Filha, virei estrela. E mesmo estando ansioso para te contar o que descobri, espero que você demore algumas décadas para ler esta carta. Eu a escrevi quando você tinha pouco menos de 3 anos e eu ainda estava aqui. Presente. Mas nós sabemos que o tempo voa; por isso, voaremos juntos, brincaremos, dançaremos, riremos, mergulharemos, enfim, faremos tudo que nos faz felizes para colecionarmos saudades juntos. Se você estiver lendo isso agora com lágrimas nos olhos, sorria, é sinal de que conseguimos.

Eu fico imaginando como será sua personalidade nas próximas fases, e torço para que mantenha sua identidade entendendo que isso não significa se repetir. Espero que a sorte continue sendo o seu norte e que você preserve a sua paz respirando paciência e inspirando respeito. Essa foi minha busca. Certamente encontrará as suas e as passará adiante também.

Eu quero te ver crescer e quero ver a tua mãe te vendo crescer com aquele sorriso lindo que ilumina a nossa vida. Nós estamos tendo o privilégio de envelhecer juntos. E como é lindo ver o tempo passar ao lado de quem nos tira a pressa. Ela já me ensinou tanta coisa enquanto pensava que eu não estava nem percebendo todo o bem que ela nos faz. Mas eu estava. Eu sempre gostei de prestar atenção em vocês duas juntas, sendo quase uma só. Foi assim, observando vocês, que eu entendi que nós não teremos nossa presença para sempre, mas enquanto um de nós simplesmente estiver presente, estaremos juntos.

 É exatamente por isso que estou te escrevendo. Nós combinamos que nunca teríamos segredos, e a verdade é que eu nunca soube para onde foram os que partiram e eu disse que viraram estrela. Eu lembro de quando meu pai se foi, eu passei muito tempo esperando que ele voltasse nos meus sonhos para me contar por onde andou nesse tempo todo em que não esteve aqui. Aí é que está a percepção que te ofereço: ele estava. Eu estarei. Toda vez que eu ia a algum lugar onde sabia que ele gostaria de estar, sim, ele estava. E cada vez que você for, eu estarei. Vamos combinar assim também? Me visite sempre que quiser, meu amor. Onde? Você vai saber o caminho para atravessar a saudade quando eu te contar, no poema seguinte, o que descobri: como nascem as estrelas-do-mar. Quando você chegar, estarei presente.

Eu estarei.

Rio de Janeiro, 2023.

Como nascem as estrelas-do-mar

Nem toda maré de saudade é mansa,
Mas a solidão não nos alcança
Quando lembramos dos dias
Em que transbordamos na maré alta
De alegria.

Para quem tem um coração
Repleto de boas lembranças,
Saudade não é falta:
É companhia.

Eu já não sou mais aquele que fui,
Mas o amor não nos substitui,
Nos mantém em quem amamos.
Por isso, para onde você for,
Nós vamos.

Não seremos nada do que fomos
E nem tudo o que a gente possui
Simplesmente porque nós não somos:
Nós estamos.

Quando eu partir, não vou morrer.
Mesmo que o caminho acabe,
Eu estarei aonde você me levar.

Quando eu partir, não vou morrer.
Eu te encontrarei onde você sabe
Que eu gostaria de estar.
Eu vou virar estrela,
Mas não vou para o céu:
Vou mergulhar.

Não serei uma caixa de cinzas,
Eu estarei em cada grão de areia.
Não serei o choro do pranto,
Eu estarei em cada gota d'água.

Nos dias em que quiser me encontrar,
Tire os sapatos para seguir minhas pegadas.
Troque as lágrimas pela água salgada
E, quando uma onda te alcançar devagar,
Sinta eu te abraçar.

Sim, eu virei estrela,
Mas não fui para o céu:
Me tornei uma estrela-do-mar.

Eu levo um mar dentro de mim

Quanto mais alguém se conhece de verdade,
Mais à vontade se sente para mudar.
E não significa ir com a maré:
É sobre se tornar o próprio mar.

Repara que a previsão desse mesmo mar
    nunca é igual,
Por isso é preciso ver além de água e sal
Para enxergar com transparência,
E quanto mais profundo, menos aparente.
Mas como a gente também não é feito
    de aparência,
As mudanças que acontecem internamente
Vêm para manter a nossa essência.

Eu tenho uma amiga que fala "Eu levo
    um mar dentro de mim"
E assim ela entende as tantas possibilidades
    que carrega
Sendo uma só mulher.

Ela tem seus instantes de fúria,
Tem os dias em que recua,
Outros tantos em que transborda,
Ela oscila com a lua.
Tem as noites em que não dorme,
Manhãs em que não acorda.

Às vezes decide que não quer ver ninguém,
Mas quando a solidão começa a ficar previsível,
Um vento invisível marca presença
E devolve uma força intensa.
Mesmo quando brinca no raso,
Por natureza, é profunda,
Por ser imensa.

Quanto mais o tempo passa, mais ela se entende,
Mesmo se tornando cada vez mais diferente.

Ela fez as pazes com os relógios de areia
E é justamente essa paz que a faz ser tão bonita.
Quando perguntam a sua idade,
Ela fala a verdade:
"Eu levo um mar dentro de mim
Eu sou infinita."

Em que momento a gente para de aprender
E começa apenas a envelhecer?
Talvez quando insiste em permanecer igual
Por medo de não se reconhecer.

Por isso, não confunda
Ser a mesma pessoa com se repetir.
Para não perder sua essência,
Leve um mar dentro de si.

Eu levo
um mar
dentro
de mim

@allandiascastro

Identidade

Ser bonita
Nem sempre significa
Se enquadrar em padrões de beleza.
Padrão busca unanimidade.
O que te faz diferente de todos
Não é fraqueza, é identidade.
É o teu jeito, é o teu corpo, é a tua verdade.

É lindo te ver assumindo o tempo
E os fios de cabelo branco
Que chegam sem aviso.
É lindo te ver percebendo
Que nem tudo que parece obrigação
É realmente preciso.
É lindo ver as linhas do teu rosto,
Elas me dão o mapa do teu sorriso.

Você é você, e é isso que me encanta.
O que te faz única
É não ser uma cópia de outras tantas.

Você não precisa ser aceita por ninguém
Porque já se aceitou.
É aí que também está sua beleza:
A personalidade,
O que te faz diferente de todos,
Não é fraqueza, é identidade.

As linhas do teu rosto me dão o mapa do teu sorriso.

@allandiascastro

Personagem

Tentar se moldar para ser aceita
É como aceitar a indiferença
De quem, no fundo, não se importa.
Quantas personagens
Cabem dentro da sua personalidade
Que, na verdade, nem você suporta?

Tem aquela que evita um elogio
Porque só escuta as suas falhas
E já nem gosta do que faz
Por não gostar de onde trabalha.
Aquela que esquece do amor-próprio
Na ansiedade de um romance.
A que faz tudo pelos outros
Mas não se dá nem uma chance.

Enquanto a necessidade
De só agradar
Decidir por você,
É preciso ter cuidado
Para não se perder
De si.

É melhor tirar a máscara
Dos que agem conforme a fórmula, a forma,
    a receita,
E se assumir com a cara e a coragem:
    imperfeita.
Sai o peso da personagem ideal,
Entra o alívio da personalidade real.

Assim, pelo simples fato de se aceitar como é,
Você pode escolher ser quem quiser.

A sorte como norte

Quem só procura certezas
Jamais encontrará boas surpresas.

Eu tenho a sorte como norte
E só encontrei meus sonhos pelo caminho
Quando me abri às sutilezas
Que desviam da dureza do impossível.

Eu tenho a sorte como norte.
Como quem acredita no invisível,
Me abro a um mundo de acasos
Tão precisos quanto sutis.

Distraído da arrogância,
Eu esbarro nos sorrisos,
Aceno para a esperança
E me deparo com o que me faz feliz.

É preciso entender que o tempo
Nem sempre tem a nossa pressa,
Mas, aos poucos, transforma dúvida em direção.
Para não me prender em possibilidades,
Porcentagem e previsão,
Procuro a calma de quem crê na probabilidade
De encontrar por distração.

Na contramão dos que duvidam,
Encontro a poesia que acredita na emoção.
Eu tenho a sorte como norte
E, como guia,
O coração.

Gentileza é eco

Ninguém é obrigado
A ser gentil com quem está do lado.

Mas gentileza é uma escolha diária
Para quem entendeu que a leveza
   é necessária
Na vida de quem trata os outros
Como gostaria de ser tratado.

Está todo mundo ocupado,
Correndo atrás do prejuízo,
Fazendo o que for preciso
Para chegar aonde nunca quis.
E de tanto perguntar qual o preço para
   ser feliz,
Não percebe o valor de um simples sorriso.

Gentileza é eco.

E quem escolhe por ela
Acaba sendo escolhido.
Sim, o que eu queria para mim
Vou receber refletindo.

Simples assim:
Para quem escolheu ser gentil,
A vida retribuiu sorrindo.

Gentileza é eco.

@allandiascastro

Paz

Não responder a uma provocação
É diferente de aceitar um desaforo.
O tempo não me ensinou a engolir o choro,
Mas a aprender por quem chorar.
Se algo não vale a sua atenção,
Termine, antes mesmo de começar.

Toda crítica disparada
É fruto de outra que foi recebida,
Mas que ainda não foi digerida.
Comentários maldosos, piadas,
Risadas e palavras mal-intencionadas:
Tudo isso só atinge se você se sentir atingido.

Nem todo silêncio é covardia.
Às vezes, é ter aprendido
A só dar voz ao que mereça ser ouvido.

Pensa como se você usasse um filtro de
    autoconhecimento.
Quem se conhece só aceita o que se reconhece.

Preserve a sua paz,
Compreendendo quem está
Em guerra consigo mesmo.
Muita gente só age assim
Porque não conhece outro jeito.
E se a sua conduta for uma nova referência?

Quando alguém tentar te tirar do sério,
Que o seu sorriso diga "Eu não aceito".
Mantenha sua essência:
Respire paciência,
Inspire respeito.

Ei, bailarina!
Eu já disse que te amo hoje?

Ei, bailarina! Eu já disse que te amo hoje?
Eu vim de longe só para te ver dançar.
Cheguei agora de um lugar chamado "passado"
E confesso que já estava acostumado
E até me sentia à vontade por lá.

Era um local pelo menos conhecido,
Quase confortável, quase dolorido.
A tristeza quase não era tão frequente,
Mas a alegria também quase não era comum
E esse é o perigo do "quase".
A gente se acostuma a não estar por inteiro
Em quase lugar nenhum.

Ei, bailarina! Eu já disse que te amo hoje?
Estou presente só para te ver crescer.
Primeira fila para ouvir de perto cada risada,
Como quem já não pede nada
Mas recebe, porque aprendeu a agradecer.

Que amor é esse que não busca nada fora?
Que ignora cargos, likes, resultado?
Que amor é esse no qual a única posição
   que importa
É se você está ao seu lado?

Que troca seu carro pelo seu colo,
Sua hora extra pelo seu horário livre,
Sua roupa mais cara por uma fantasia improvisada,
E mostra que tudo que realmente vale
Às vezes não custa nada?

Ei, bailarina! Eu já disse que te amo hoje?
Eu vim de longe só para te ver dançar,
Estou presente só para te ver crescer.
Eu te agradeço por me ensinar a perceber
Que a única forma de se ter amor
É ser.

Epílogo

Minha mãe ainda é a primeira pessoa que lê os meus textos. Eu sigo mantendo essa dinâmica pois sei que, ao lê-los, ela não busca erros ou enganos. A cada linha, ela procura por mim. E estou falando de essência. Ouvir uma opinião sincera de quem realmente te conhece é como seguir uma bússola apontando para a sua verdade.

Eu já entendi que nem todo retorno que ela der vai me agradar. E não é aprovação o que eu busco; é, de fato, a sinceridade. Mais do que conhecer as histórias que contei, minha mãe faz parte de algumas. Eu sabia que algumas passagens do livro mexeriam com ela em algum lugar delicado, afinal estávamos juntos. Mas, mesmo que a leitura não a agradasse, eu também não poderia me abster de oferecer a mesma sinceridade recebida. Ela absorveu alguns textos como quem leva um soco no coração e, quando perguntei se havia gostado, disparou com lágrimas nos olhos: "Meu filho, você está muito exposto aqui." Estava dada a resposta. Mais do que gostar ou não, ela me viu em cada linha. Nos viu. Pra mim, é o que basta.

Minha mãe percebeu que, mesmo quando mergulha na finitude, este livro fala sobre vida. Ela sempre gostou de escrever, mas há anos não colocava nem uma frase no papel. O que pretendo com O *colecionador de saudades* é que as pessoas, quando o lerem, despertem para o privilégio de estarmos vivos e percebam que essa é a chance que nós temos para fazer tudo aquilo que nossa sinceridade pede. Quando soube que, após concluir a leitura, minha mãe não conteve o impulso de me escrever alguns parágrafos, senti que meu objetivo estava cumprido – na prática.

Não haveria maneira mais simples e simbólica (nem mais sincera) de encerrar o meu livro do que dividindo com você, que me fez companhia ao longo de tantas páginas, o texto que minha mãe me escreveu.

Só agradeço.

Pois bem, li o livro do meu filho, me encantei com ele. As memórias e passagens tão vívidas.

Claro, tenho outro foco, e uma gama de sentimentos fluem de maneira tão inusitada que resolvi colocá-los no papel.

Sim, filho, fizeste ou refizeste surgir em mim a vontade de deixar fluir também minhas saudades. Imagino contente quanta vida adormecida que as tuas palavras despertarão em outros tantos leitores.

Tudo que transcreveste – pessoas, momentos e histórias das quais participamos – continua com a gente, da mesma maneira, com as mesmas brincadeiras e o mesmo colorido. Por mais que os dias sigam (e, veja, para mim já foram tantos), acredito que todas essas saudades seguirão morando no inconsciente até alguma frase, passagem ou poema abrir a porta do nosso profundo eu. Sim, este livro será também uma chave.

Amigos se foram e outros surgiram e, certo, todos

marcaram nossos dias e continuam a fazer parte de nós, lá dentro, guardados nas lembranças.

Além da guitarra branca, sempre houve muita música. E todos estes momentos também calam fundo na memória: as algazarras, as danças desinibidas, o cantar desafinado. E trazem saudade. Saudade até deixar...

Cresci na casa da vó, rodeada de muitas celebrações, por mais simples que fossem, sempre prazerosas. Familiares ao redor, fogo na lareira, churrascadas ao ar livre, muitas plantas e flores.

Foi ali que casei e para ali voltei diversas vezes após ter meus filhos. Sentei na cadeira de embalo, presente de casamento de meu avô para os meus pais, e acalentei e amamentei meus filhos, o que também fizeram minhas irmãs. Todas fomos mães de nossos próprios filhos e dos nossos sobrinhos.

Nossos encontros foram regados a amor, a união, tendo como ápice o Natal, festa favorita da minha mãe, e o especial churrasco do meu pai.

Houve muitas noites de febre. E o alívio era geral quando, depois de tudo passado, as traquinagens voltavam.

A queda de braço se deu na mesa da cozinha e, sim, houve torcida, gritos e palmas. Houve outras competições também. Num campeonato de pipas, de que lembro toda orgulhosa, meus quatro rebentos arrebataram os primeiros lugares, cada qual em sua categoria. Allan, o mais novo participante, com 2 anos de idade, não entendia por que tinha ganhado só uma camiseta e um chaveiro enquanto suas irmãs levavam um troféu.

Essas saudades, vou guardá-las em mim como as vitórias, a busca por elas, as conquistas, as preocupações, que são as marcas que trago em mim. E, não, meu filho amado, não quero ler a carta da Serena. Não quero ter saudades tuas. Quero deixá-las para que tu as tenha de mim.

Este livro é uma carta aberta para o renascer de lembranças, o refazimento de emoções que todos trazemos dentro de nós. É uma semente que nos faz olhar para trás e ver no agora o quanto podemos frutificar, desabrochar e espalhar união, perseverança, muito amor e gratidão.

A ti, toda a minha admiração.

Te amo.

Tua mãe,
Ledy

Eu com minha mãe em Tramandaí, Rio Grande do Sul.

Notas

Os poemas "Bobagens diárias", "Vamos atravessar a saudade?" e "Semente" foram escritos por Allan Dias Castro para campanhas publicitárias da Cortel.

O poema "A criança que eu fui um dia", em sua versão original, foi musicado pelo grupo Reverb Poesia e termina com o verso "Você quer brincar comigo?".

CONHEÇA OS LIVROS DE ALLAN DIAS CASTRO

Voz ao verbo

A monja e o poeta (*com a monja Coen*)

O colecionador de saudades

Para saber mais sobre os títulos e autores da Editora Sextante,
visite o nosso site e siga as nossas redes sociais.
Além de informações sobre os próximos lançamentos,
você terá acesso a conteúdos exclusivos
e poderá participar de promoções e sorteios.

sextante.com.br